P9-CQN-268

EL PROBLEMA DE LA PERSONALIDAD EN UNAMUNO Y EN SAN MANUEL BUENO

PELAYO H. FERNANDEZ

EL PROBLEMA DE LA PERSONALIDAD EN UNAMUNO Y EN SAN MANUEL BUENO

EDITORIAL MAYFE, S. A.

Ferraz, 28

MADRID (8)

Impreso en España Printed in Spain

Depósito Legal: S. 57-1966

GRAFICESA.—Ronda Sancti-Spíritus, 9.—SALAMANCA, 1966

A Winnie, mi esposa

"La personalidad es la obra que en la Historia se cumple".

(*Ensayos*, I, 962)

"Cuando uno se haya hecho el que ha de ser para siempre, que pueda decir como última palabra: '¡Quedo dicho!' 'Quedo dicho' y no 'Queda dicho'. Quedo dicho yo".

(O. C., X, 580)

"...ya que cada uno de nosotros es una procesión de yos sucesivos, a las veces discordantes y contradictorios".

(O. C., X, 295)

"Y yo no defiendo y predico un yo puro, como el de Fichte, el apóstol del germanismo, un yo que no sea más que yo, sino que defiendo y predico el yo impuro, el que es todos los demás a la vez que él mismo".

(O. C., X, 333)

"Y lo que Dios ha escrito es nuestro propio milagro, el milagro de cada uno de nosotros".

(O. C., X, 842)

"Y es que el Reino de Dios, cuyo advenimiento piden a diario los corazones sencillos..., ese reino que está dentro de nosotros, nos está viniendo momento a momento, y ese reino es la eterna venida de él".

(O. C., X, 847)

NOTA PRELIMINAR

LA popularidad de Unamuno ha venido creciendo a pasos agigantados, basta sólo echar un vistazo a las obras y comentarios de crítica que aumentan de día en día para percatarse de ello. Unamuno es un autor que apasiona y resulta inagotable a medida que se penetra más en su obra. Lo que uno va diciendo e interpretando de él le va dando conciencia a su vez de lo que deja sin decir; cuanto más se le lee más se vislumbra lo mucho que sugiere y lo mucho que queda por decir de él. Pensamiento vital el suyo como él quería, exuberante de contrastes, luces y posibilidades de interpretación, perspectivismo riquísimo que esgrime mil facetas a las que les da unidad la personalidad enorme del autor.

El problema de la personalidad que tan manifiestamente se refleja a lo largo de toda la obra de Unamuno es, como bien se sabe, sumamente complejo al tiempo que subyugante. La falta de sistematización tan cara a don Miguel y el carácter intuitivo de multitud de sus hallazgos, constituyen sin duda la mayor dificultad con que se tropieza siempre que se intenta darle forma coherente a sus ideas.

En el presente estudio me he propuesto concentrarme en Unamuno, partir de él e intentar "potenciar la obra elegida", como pedía Ortega y Gasset, esperando que mi aportación sirva de complemento en alguna medida a lo mucho que la crítica ha hecho ya. La coordinación me ha llevado a juntar todas las épocas de la obra unamuniana por considerar que, si bien ciertos aspectos de su pensamiento no cristalizan definitivamente hasta más tarde, ya constan, sin embargo, como adivinación y preocupación en su obra temprana.

La cuestión de la clasificación de los yos no ha sido fácil, ni pretende agotarlos todos (en algunos críticos se encontrarán otros que se sumarán a los nuestros), pues por la definición de "ser es obrar" la lista puede llegar a ser prácticamente infinita. Para nosotros un yo es una forma de actuar, pero también una forma de ser y sentirse ser, de reconocerse e identificarse a sí mismo como ese yo que soy aquí y ahora, aunque su duración sea limitada, aunque desaparezca para no volver.

No obstante, en nuestro estudio hemos procurado ceñirnos a los que consideramos predominantemente yos permanentes en Unamuno, a los que son una constante en su problema más vital, el de la personalidad, partiendo de su intimidad y proyectándola sobre el escenario de la conciencia y la realidad ambiente externa, en un intento de conservar la unidad y la perseverancia de los yos más destacados.

El libro viene a constar de dos partes que se complementan. La primera se concentra en el problema de la personalidad en Unamuno, teniendo en cuenta toda su obra; la segunda, ese mismo problema según lo proyecta él en esa joya novelística que es San Manuel Bueno, mártir.

PELAYO H. HERNANDEZ

The University of New Mexico.
Albuquerque, New Mexico, diciembre de 1965.

EL SUBSTRATO INTRAVITAL

I. EL HABITO

EL concepto del hábito tal y como lo entendían las doctrinas evolucionistas del siglo XIX, así como la teoría lamarckiana de la herencia de los caracteres de la raza defendida después por Spencer, fueron asimilados inmediatamente por el joven Unamuno y sentarán las bases de lo que él llamará la *intrahistoria* y la *costumbre,* a la vez que definirán su modo de entender la *conducta*[1]. No se puede

---

[1] Esperamos que el estudio prometido por Carlos Blanco Aguinaga sobre varios autores del siglo XIX predilectos de Unamuno, nos precise definitivamente el "hegelianismo" de don Miguel que él siempre admitió y es tan obvio en su adopción del método de los contradictorios. Tal estudio vendría a aclarar con mayor rigor aún la postura de Unamuno frente a las doctrinas evolucionistas, sin olvidarnos, claro está, de que Hegel fue precursor de ellas. (Cf. *El Unamuno contemplativo,* México, Fondo de Cultura Económica, 1959, pág. 57, nota).

En otro sentido, conviene tener presente que la orientación científica de Unamuno es la del siglo XIX, destacando entre otras teorías la Ley de la conservación de la energía y la Ley de la evolución natural. (Cf. mi libro

comprender la obra unamuniana sin intentar descifrar primero el concepto de lo intrahistórico, ni sin percatarse, como tan inspiradamente lo ha hecho Blanco Aguinaga, del significado y trascendencia que para el rector de Salamanca envolvía la costumbre.

El modo unamuniano de entender el hábito se refleja en esta concisa declaración suya: "Una verdad sólo es de veras activa en nosotros cuando, olvidada, la hemos hecho hábito; entonces la poseemos de verdad" [2]. Si ahora nos preguntáramos cuál es el proceso de formación que sigue el hábito, hallaríamos una respuesta explícita en estas otras palabras: "Va a la par la realidad, por su parte, depositándose en silencio en el hondón del espíritu, y allí a oscuras organizándose" [3]. Esta sedimentación de la realidad externa va a ser, según iremos comprobando, el posar lento y tamizado de las esencias que constituyen el íntimo núcleo de los sucesos históricos, las cuales se organizarán con el mismo

---

Miguel de Unamuno y William James. Un paralelo pragmático, Salamanca, Cervantes, 1961; Pedro Laín Entralgo, *La generación del 98,* Madrid, Espasa-Calpe, 1959; José Alberich, "Sobre el positivismo de Unamuno", en *Cuadernos de la cátedra Miguel de Unamuno,* IX, págs. 61-75; Sherman H. Eoff, *The Modern Spanish Novel,* New York University Press, 1961, VII).

[2] *Ensayos,* Madrid, Aguilar, 1951, I, pág. 105.

No cabe duda de que lo que Unamuno llamará en múltiples ocasiones *cardíaca* guarda estrecha relación con el concepto del hábito, en cuyo trasfondo tal vez se encuentre Pascal, con su descubrimiento del corazón como órgano de conocimiento y la importancia del autómata en el hombre.

[3] *Ibid.,* pág. 100.

paso quedo y continuo en el hondón del espíritu —el fondo de continuidad— en forma de verdades eternas, creando de ese modo la personalidad intrahistórica que actuará luego con el carácter del hábito. El proceso inverso, la manifestación externa de lo que se ha hecho habitual, será el afloramiento de lo intrahistórico a lo histórico, contribución que la personalidad íntima e inconsciente hace a la personalidad histórica consciente en una lucha por *serse,* por concientizarse: "En las profundidades de nuestro propio cuerpo... en todo lo vivo, en el Universo todo... hay un espíritu que lucha por conocerse, por cobrar conciencia de sí, por serse —pues serse es conocerse—, por ser espíritu puro..." [4]

En el *Epistolario a Clarín,* aparece constantemente la idea del hábito y por esa abundancia, referida a aspectos fundamentales del pensamiento de Unamuno, se pueden trazar y perseguir sus múltiples repercusiones. En primer lugar, parece ser que el Unamuno joven que ha perdido la fe de la infancia ha hallado consuelo en un nuevo modo de ver la religión, en la religión hecha hábito. Unamuno ha prescindido de lo que él llama la *forma* del cristianismo por considerarla innecesaria ahora que lleva el cristianismo en la médula: "En puro querer racionalizar su fe la pierde (así me sucedió), como lleva a Dios en la médula del alma no necesita creer en él, es acto reflejo; todo ello ha sido labor interna, es hondamente religioso y no necesita ser creyente" [5].

---

[4] *Del sentimiento trágico,* IX.
[5] Carta 31-5-1895.

El concepto del hábito aclara asimismo el modo de leer y producir de Unamuno e, igualmente, su defensa de las ideas encarnadas. Dice, expresándose en tercera persona: "Unamuno lee algo... medita más, reflexiona y deja luego que le brote lo que ha hecho carne propia" [6]. La idea asimilada y hecha de uno, hecha hábito, rebrota espontáneamente impulsada por el dinamismo del hábito y sale a la luz de la conciencia confundida con los rasgos de la propia personalidad. Es decir, en el caso de Unamuno saldría "unamunizada", y así en todos los hombres; lo cual constituye para don Miguel la verdadera originalidad, el modo que tiene cada uno de decir las cosas [7].

Las teorías lingüísticas unamunianas están preñadas de la idea del hábito: "La lengua es el receptáculo de la experiencia de un pueblo y el sedimento de su pensar" [8]. La lengua que se habla es un recipiente que contiene los hábitos acumulados por las diversas generaciones históricas.

El mismo punto de partida, el del hábito, le sirve de guía para la oposición historia-intrahisto-

---

[6] *Ibid.*, carta 9-5-1900.

[7] Véase otra cita semejante: "Pero, como acostumbro, leo los libros sin tomar notas, y luego los repienso y los dejo reposar, y al cabo del tiempo escribo lo que me brota, sin recordarlo en la forma en que lo leí" *(Ibid.*, carta 10-5-1900). Para un mayor entendimiento de la "ideoclastia" unamuniana, véase mi libro ya citado sobre Unamuno y William James, VII.

[8] *Ensayos,* I, pág. 51. Un interesante estudio sobre las teorías lingüísticas de Unamuno, es el de Carlos Blanco Aguinaga, *Unamuno, teórico del lenguaje,* México, El Colegio de México, 1954.

ria, sin que ello implique menosprecio de lo histórico, según se destaca en las siguientes palabras: "Hay sobre todo un punto que me pide a voces aclaración, y es el valor de la cultura tradicional *histórica*. No quisiera aparecer despreciador de ésta al empeñarme en que se tenga fe en el pasado asimilado a nuestra sustancia, hecha carne de nuestro espíritu, médula especial de él... Lo que creo es que es enorme la masa de lo ya organizado y que hay que tener fe en ello, en la cultura *encarnada* en el pueblo, que fiemos en lo que es ya espontáneo" [9].

En fin, basten estas citas y estas observaciones para darnos una idea de la trascendencia que el concepto del hábito tiene en el pensamiento de Unamuno. Trascendencia que adquiere proporciones ingentes si tenemos presente que, a partir de la crisis de 1897, Unamuno va a preferir el término "costumbre" al de hábito para expresar la misma realidad, aunque el segundo no desaparezca por completo.

---

[9] *Epistolario a Clarín,* carta 26-6-1895.

II. HISTORIA E INTRAHISTORIA

EL paralelo que existe entre los conceptos de historia e intrahistoria y ciertos puntos cardinales de las doctrinas evolucionistas resalta palmariamente.

La tradición, dice Unamuno, "es lo que pasa de uno a otro" [10]. O sea, que la tradición es la herencia evolutiva, la transmisión hereditaria de los caracteres de la raza en que Lamarck creía y que forma lo que Spencer denominará experiencia de la raza.

"Lo que pasa queda", sigue Unamuno, y esta aparente paradoja explica no sólo el fenómeno de la ósmosis entre historia e intrahistoria del que hablaremos, sino que expresa también el doble cariz inherente al concepto de tradición; dualidad que

---

[10] Cf. "La tradición eterna", *Ensayos,* I, págs. 36-46. El párrafo siguiente muestra bien a las claras la orientación evolucionista de lo que Unamuno entiende por tradición eterna: "El pasado ha recobrado nuevo interés como germen y razón de ser del presente, la tradición como base de todo progreso. La doctrina de la evolución ha hecho que se considere todo momento como punto de un proceso en que halla justificación, todo hecho como un producto, y que se busque en el génesis de las cosas la explicación de éstas" *(Ensayos,* I, pág. 147).

constituye su íntima esencia. La tradición pasa por ser evolutiva, es decir, por sufrir modificaciones con la adición de nuevas experiencias individuales y generacionales; y pasa también porque se retransmite hereditariamente, o sea, porque pasa de unos a otros. Pero a la vez que evoluciona y se retransmite, la tradición "queda", por un lado, identificada como tradición y, por otro, porque su contenido lo componen las verdades eternas y éstas no pasan en cuanto tales [11].

Lo que Unamuno llama "sedimentación de las verdades eternas", ofrece asimismo un claro parentesco con la teoría darwiniana de la Selección Natural. En este sentido, la esencia de los sucesos históricos, que es lo que sedimenta, vienen a ser las variaciones favorables que sobreviven en la lucha por la existencia, quedando las desfavorables —lo que no es verdad eterna— eliminadas o atrofiadas. Los cambios favorables se acumularán y esa selección natural impondrá un cambio gradual en los caracteres de la especie que conducirá a una mayor adaptación —evolución de lo intrahistórico o tradición eterna, a la vez que de la personalidad—. Es decir, que tanto el individuo como la especie poseerán mayor caudal de verdades eternas, un superior conocimiento de la realidad y la verdad universales, en forma de hábito.

---

[11] Este dualismo inherente a la tradición y a la intrahistoria creo que suprimiría la contradicción que Blanco Aguinaga ve en el concepto unamuniano de lo intrahistórico, al considerarlo como "quietismo" y privarlo de su fluidez ("Heráclito al revés", *Op. cit.*, págs. 173-78).

Cuando Unamuno proclama la necesidad imprescindible de "chapuzarse en pueblo", está pidiendo que nos bañemos en las aguas eternas de la tradición evolutiva en su fase actual, almacenada en la especie, y que busquemos en dichas aguas el sentido universal de todas las cosas, puesto que en ellas se encierra el mayor tesoro de verdad acumulado hasta el presente. Chapuzándonos en pueblo establecemos contacto no sólo con lo biológico de la raza, sino también con los hábitos adquiridos hasta hoy.

La que Laín Entralgo denominó ósmosis entre historia e intrahistoria [12], viene inspirada, como vemos, en los conceptos evolucionistas del hábito y la retransmisión hereditaria de los caracteres adquiridos por selección natural. La primera fase de la ósmosis, el paso de lo histórico a lo intrahistórico, consiste en la conversión en hábito de la realidad externa absorbida; la segunda fase, el paso de lo intrahistórico a lo histórico, es la manifestación espontánea de lo habitual en la realidad externa. La intrahistoria ha ido formándose y alimentándose a través de los siglos del poso de la historia, hasta llegar a constituirse en fondo permanente a la vez que fluido. Poso o sedimento que no es en realidad más que el valor y el significado esencial y eterno de los sucesos históricos cotidianos. No cabe duda, entonces, que la intrahistoria, en su dimensión presente, ha de llevarle ventaja a la historia del momento presente, pues aquélla reúne en sí el legado de lo eterno de toda la historia precedente. La in-

---

[12] Cf. *Op. cit.,* pág. 153.

trahistoria actual es a todas luces una entidad superior a la historia actual.

La visión de Unamuno hace posible que exista un "presente momento histórico" junto a un "presente momento intrahistórico", y también que el estudio del uno sirva automáticamente para conocer al otro. "Hay que buscar lo eterno en el aluvión de lo insignificante, de lo *inorgánico,* de lo que gira en torno de lo eterno como cometa errático, sin entrar en ordenada constelación con él, y hay que penetrarse de que el limo del río turbio del presente se sedimentará sobre el suelo eterno y permanente" [13]. Lo histórico ha de juzgarse por el prisma de lo intrahistórico, proyectando sobre el presente, no sedimentado y tamizado aún, los hábitos de la raza. Y viceversa, en el presente momento histórico ha de buscarse y hallarse lo eterno intrahistórico, lo que en el futuro pasará a engrosar el núcleo de lo eterno.

---

[13] *Ensayos,* I, pág. 40.

III. LA CONDUCTA

LO intrahistórico no nos es conocible por entero, pero sí nos son asequibles sus frutos que son su modo de obrar, la conducta: "...a un árbol, dice Unamuno, se le conoce por sus frutos, pero sus frutos no son sus raíces, aunque de ellas provengan"[14]. Y en el tan conocido ensayo *¡Adentro!,* sienta las bases de su teoría de la conducta en cuanto manifestación externa de la personalidad íntima: "No hace el plan a la vida, sino que ésta lo traza viviendo. No te empeñes en regular tu acción por tu pensamiento; deja más bien que aquélla te forme, informe, deforme y transforme éste. Vas saliendo de ti mismo, revelándote a ti propio; tu acabada personalidad está al fin y no al principio de tu vida; sólo con la muerte se te completa y corona. El hombre de hoy no es el de ayer ni el de mañana, y así como cambias, deja que cambie el ideal que de ti propio te forjes. Tu vida es, ante tu propia conciencia, la revelación continua en el tiempo de tu

---

[14] *Ibid.,* pág. 836.

eternidad, el desarrollo de tu símbolo; vas descubriéndote conforme obras".

Conociendo el significado que tienen las acciones de los hábitos de la raza, entramos por inducción en el conocimiento de la tradición eterna, de la raíz del árbol de lo intrahistórico. El análisis de la conducta consistiría, pues, en convertir lo automático e inconsciente en materia reflexiva y consciente, o sea, en ideas. Y como sabemos que para Unamuno las ideas son fuerzas que poseen —por ser psicomotoras— el automatismo del hábito, tenemos que las ideas continúan el proceso dinámico y actúan, dando origen a una conducta que hay que analizar nuevamente; en términos pragmáticos se trataría de descubrir los resultados prácticos de tales ideas [15]. Este análisis de la conducta de las ideas nos llevaría asimismo al conocimiento de lo eterno que se da en lo histórico; es decir, la personalidad histórica consciente se conoce también por la conducta. Conducta que, según el pragmatismo de Unamuno, ha de ir encaminada a la vida, a lo eterno histórico y a lo eterno intrahistórico.

---

[15] Para una visión más amplia del pragmatismo de Unamuno, véase mi libro sobre Unamuno y William James.

La teoría de la conducta que aquí observamos explica también la afirmación constante de Unamuno de que todas nuestras doctrinas lo son siempre *a posteriori.*

Más adelante tendremos ocasión de comprobar que, si Unamuno pretende rechazar el método introspectivo en esta primera etapa de su pensamiento en realidad lo aplica siempre, para autoanalizarse y conocerse a la vez que para buscar, como los místicos españoles, un contacto con lo eterno y trascendental humano.

Vemos entonces que, si la intrahistoria es la sustancia de la historia, ésta lo es a su vez de aquélla, al menos en lo que conlleva de ella, de eterno, es decir, en la porción de lo intrahistórico que se revela en la conducta histórica consciente, y en lo eterno y esencial que el limo de lo histórico arrastra y que sedimentará. De ahí que Unamuno no pueda aceptar una pretendida delimitación de la historia y la intrahistoria, pues se entretejen, se confunden y se distinguen a un tiempo: "Tan luego como una ciencia analítica y atomizadora hunde el escalpelo en la trama viva en que se entretejen y confunden la leyenda y la historia, o trata de señalar confines entre ellas y la novela y la fábula y el mito, con la vida se disipa la verdad, quedando sólo la verosimilitud... porque existir es vivir, y quien obra existe" [16]. La leyenda brota de lo intrahistórico y aparece en lo histórico en forma de realidad de ficción, pero reflejando lo humano en todos. En este sentido, como tendremos ocasión de observar más adelante, el personaje de leyenda es el auténtico y lo aparencial lo real.

---

[16] *Ensayos,* I, pág. 196.

IV. EL FONDO DE CONTINUIDAD

El fondo de continuidad que da unidad y sentido a la idea del hábito, a la intrahistoria y a toda la teoría de la personalidad, constituye uno de los puntos clave del pensamiento de Unamuno [17]. El fondo de continuidad es el substrato real primigenio y eterno que armoniza los contradictorios, en donde el tiempo se hace eternidad, lo histórico intrahistórico, lo individual humano y los múltiples yos personalidad. El fondo de continuidad es para Unamuno anterior a toda historia e intrahistoria, es en sus orígenes prehistórico y protohistórico; o, con más precisión aún, el fondo de continuidad se remonta, en términos bíblicos, al momento de la

---

[17] Para apreciar la relación que el "fondo de continuidad" guarda con la "stream of consciousness" jamesiana, véase mi ya citado libro. Para el sentido del fondo de continuidad en cuanto "nimbo", Juan Marichal, "La voluntad de estilo de Unamuno y su interpretación de España", en *Cuadernos americanos,* vol. LXIX, mayo-junio, 1953, págs. 110-119. Y asimismo Blanco Aguinaga, *Op. cit.,* VIII.

Creación divina, al *Deus de Deo.* Y en términos científicos, a los gases estelares cósmicos. Su origen, potencialidad y dinamismo son, pues, los mismos del Universo. Y por consiguiente, en su proyección futura e infinita, el fondo de continuidad habrá de ser también post-histórico y post-intrahistórico. En definitiva, que el fondo de continuidad viene a ser la eternidad del Universo en el hombre y en toda la Creación. Cuando Unamuno nos exige que busquemos al hombre en nuestra alma, porque la Humanidad es la casta eterna, sabemos que se refiere a ese fondo de continuidad eterno y común que es lo que nos hace prójimos, lo que nos une e identifica de veras y lo que lima asperezas [18].

El fondo de continuidad, al igual que la tradición eterna, posee como rasgo esencial la cualidad de ser a un tiempo estático y dinámico. Estático porque es eterno, ya que es la eternidad misma, y también porque la fuente de energía de toda su potencialidad es siempre la misma. Pero dinámico porque a su vez evoluciona al poner en marcha dicha potencialidad, desarrollándose e incrementándose con la acción y la práctica. Es decir, que fluye y se acrecienta a lo largo de su infinitud. Con Unamuno diríamos que "obra" y al obrar "crea".

En forma sinóptica y refiriéndolo a la historia y a la intrahistoria, tendríamos:

---

[18] El fondo auténticamente cristiano de esta postura de Unamuno, destaca magníficamente si la cotejamos con el estudio que Laín Entralgo hace de la parábola del Samaritano (Cf. *Teoría y realidad del otro,* Madrid, Revista de Occidente, 1961, II, págs. 13-20).

1) La Prehistoria, anterior a toda experiencia histórica y que abarca desde los orígenes,

2) obra al poner en movimiento su potencialidad

3) y crea historia;

4) lo eterno de la historia sedimenta

5) y forma la intrahistoria, que posa en el fondo de continuidad.

El fondo de continuidad contiene, pues, lo prehistórico primigenio y lo intrahistórico adquirido, o recuperado.

V. LA PERSONALIDAD INTIMA

SI ahora referimos el cuadro anterior al tema de la personalidad, la sinopsis sería:

1) Prehistoria, personalidad anterior a toda experiencia y que abarca desde los orígenes [19];

2) esa personalidad obra y produce los yos ontológicos primigenios,

3) que obran a su vez y originan los yos conscientes, los cuales comprenden todos los yos que se dan en el plano de la conciencia;

4) lo eterno que contengan esos yos conscientes sedimenta intrahistóricamente en el fondo de continuidad

5) y forma la personalidad adquirida que se funde con la personalidad originaria y prehistórica.

Tenemos, pues, que el fondo de continuidad abarca la personalidad primigenia heredada más la

---

[19] Blanco Aguinaga se ha percatado de que Unamuno "la mayor parte de su vida creyó en la existencia de un *yo* anterior a toda Historia, sobre el que se amontonan las *capas de aluvión* de las circunstancias" *(Op. cit.,* pág. 107, nota).

adquirida por experiencia y sedimentación; y además que los yos asimilados por el mismo cauce se transformarán, al confundirse con el fondo de continuidad, en yos ontológicos, por lo que obtendrán el carácter de primigenios. Cabe hablar entonces de tres tipos o grados de personalidad: la histórica, la intrahistórica y la primigenia. Pero como vemos que todo lo intrahistórico es inseparable del fondo de continuidad una vez que se haya confundido con él, esos tres grados de personalidad se reducen a dos: la histórica y la que llamaremos definitivamente "íntima" [20], que comprende la intrahistórica y la primigenia. La personalidad íntima constituye por su riqueza de contenido una entidad superior a la personalidad histórica; y así, cuando el Unamuno "contemplativo" de que nos habla Blanco Aguinaga busca adormirse en la costumbre, o cuando el Unamuno agónico confía en su Dios personal y amistoso —tal vez con un exceso de presunción, según Julián Marías [21]—, sabemos que se apoya en última instancia en su personalidad íntima, en ese fondo de continuidad que es lo eterno en todo.

Tratemos ahora de explicar el fenómeno de la ósmosis. La personalidad histórica del hombre con-

---

[20] Aquí se podrían utilizar otros términos equivalentes que Unamuno usa a menudo, tales como "intraconciente", "intravida", "hondón del espíritu", "entraña", "tuétano", etc. Para la idea de la realidad unamuniana a través de un vocabulario especial, Cf. J. Ferrater Mora, *Unamuno. Bosquejo de una filosofía,* Buenos Aires, Sudamericana, 1957, VII; y también Armando F. Zubizarreta, *Unamuno en su "nivola",* Madrid, Taurus, 1960, III.

[21] Cf. *Miguel de Unamuno,* Buenos Aires, Emecé, 1953, págs. 182-83.

creto contiene: una porción de personalidad íntima que ha emergido en ella; una porción de esencia eterna inserta siempre en los actos y sucesos históricos que acontecen en la realidad ambiente; y otra porción de lo histórico pasajero que desaparecerá. Ahora bien, de todo esto se deduce la trascendencia ineludible del escenario de lo histórico, pues en él la personalidad íntima se acrisola, se tamiza, se enriquece o sucumbe. La realidad ambiente histórica es el campo experimental y de batalla en que lo íntimo se fragua y crea de veras, ya sea asimilando nuevos valores, ya cediendo parte de su ser, ya negándose a capitular o ya siendo absorbida por entero.

Valiéndonos de la fórmula unamuniana de "yo y el mundo nos hacemos mutuamente" [22], podemos entonces afirmar que el desarrollo de una personalidad auténtica —normal y sana— ocurre cuando lo íntimo se va purificando a la vez que enriqueciéndose e imponiéndose en su encuentro con la realidad externa. En tanto que una personalidad inauténtica —desequilibrada— vendría a ser o la que quiere sólo imponerse sin purificarse, o la que se disuelve inane en el ambiente. De ahí que todo acto humano, consciente o inconsciente, conlleve inexorablemente un haber y un debe de personalidad íntima, y un haber y un debe de personalidad histórica; y sobre todo en las encrucijadas de la vida que exijan la máxima responsabilidad. Vemos así que la personalidad histórica y la íntima se entre-

---

[22] *Ensayos,* I, pág. 303.

cruzan y se alimentan mutuamente, y que un intento de separarlas resultaría dañoso para ambas.

Cuando Unamuno lucha por hacerse una personalidad hstórica —por eternizarse en la memoria de las generaciones presentes y futuras—, lo hace apoyándose en la convicción de que lo histórico y lo íntimo caminan de la mano, y en que ambos se identifican en la medida en que contienen valores eternos; que es precisamente lo que le mueve a afirmar que lo numénico es lo fenomenal: "¡Conoce tu obra y llévala a cabo!" Pero ahí es nada conocer uno su obra, la que le toca en providencia. Porque mi obra soy yo, el que soy por dentro de dentro, en mi entraña espiritual; mi obra es mi yo eterno —de la eternidad del pasado tanto como de la del porvenir—; mi obra es mi posibilidad y mi necesidad a la vez" [23]. Sin embargo, cuando le atosiga la duda de su perduración en la personalidad histórica —cuando no está convencido de que su obra histórica sea suficientemente sólida y duradera—, y ante la incógnita del más allá, se refugia y busca inmortalizarse como última y única alternativa en el fondo de continuidad de la personalidad íntima, que es lo eterno cósmico. Pero ya digo que esto ocurre en momentos de duda, o mejor, de crisis, pues normalmente Unamuno sabe muy bien —y esto explica la confianza latente en su obrar que señala J. Marías— que la personalidad histórica y la íntima son inseparables y que, al labrar por una, se labra automáticamente por la otra.

---

[23] *Obras completas, Madrid,* Afrodisio Aguado, 1958, X, pág. 579.

TEORIA DE LOS YOS

I. EXISTIR ES OBRAR

EXISTIR es obrar". Esta brevísima definición de la realidad, preñada de sentido, que ya descubre el Unamuno joven en 1886[1], es fundamental para la comprensión del problema unamuniano de la personalidad. Partiendo de tal postulado se puede admitir la existencia, real o posible, de toda una serie de yos; serie que, por definición puede llegar a ser prácticamente infinita —según la experiencia heredada o adquirida y las perspectivas vitales del individuo—. Quede, pues, establecido que los yos de Unamuno que vamos a intentar clasificar —sin pretender agotarlos todos— existen porque obran, es decir, o porque brotan de la inti-

---

[1] Me refiero a su *Filosofía Lógica*, en que se lee: "Existir es obrar sobre los sentidos, por eso todo lo que percibimos existe"... "En el sujeto es antes ser que pensar (nótese la crítica de Descartes que luego aparecerá en *Del sentimiento trágico* y otros lugares), piensa porque es, no es porque piensa. Y es porque obra, es decir porque vive" (Cf. Zubizarreta, *Tras las huellas de Unamuno*, Madrid, Taurus, 1960, pág. 67).

midad unamuniana o porque los impone la realidad ambiente exterior. Lo esencial es que el sujeto tenga conciencia de la existencia (realidad) de esos yos, de su ser que es su obrar [2].

Sin embargo, como la frase "existir es obrar" es de capital importancia, tal vez convenga exponer en forma esquemática su alcance en la obra de Unamuno.

1) Existir (ser), es obrar; obrar es crear: existir (ser), es crear.

2) Pensar (según la teoría de las ideas-fuerzas), es obrar; por lo tanto, pensar es crear.

3) Pienso, luego existo (Descartes); por lo tanto, pienso, luego creo.

Existo, luego creo. Ya se parta del pensar o del existir del entimema cartesiano la conclusión es la misma: el crear.

---

[2] Para un mayor detalle del "existir es obrar" y las "ideas-fuerzas", véase mi libro ya citado.

Este apretado párrafo de Jorge Enjuto, sirve para darnos una idea de la riqueza polifacética de los yos de Unamuno: "Pascal dejó dicho que cuando el que no cree quiera creer debe actuar *como si* creyera. Es indudable que entre el ser y el hacer existe un estrecho nexo: ser bueno es actuar bien, ser malo actuar mal. De acuerdo con esto somos lo que hacemos. Pero, ¿es ello totalmente cierto? ¿No hay siempre en nosotros una serie de posibles yos, a veces contradictorios entre sí, que no somos y que quisiéramos ser, o que sólo somos a ratos? ¿No hay también otra serie de ellos conscientemente inactivos, pero que no por eso dejamos de sentir agazapados, esperando la acción que habrá de darles existencia?" ("Sobre la idea de la Nada en Unamuno", en *La Torre,* Universidad de Puerto Rico, julio-diciembre, 1961, pág. 267).

4) El hombre es una idea de Dios encarnada; el hombre es una idea-fuerza que obra, luego el hombre crea.

Dios es una idea del hombre; Dios es una idea-fuerza, luego Dios crea.

En fin, de lo que se trata es de destacar el poder creador de todo lo que obra y que, por lo tanto, existe. Y sobre todo en el caso de Dios y el hombre.

II. LOS YOS INTRACONSCIENTES

SON los yos primitivos o protoplasmáticos que provienen de la evolución natural del hombre y contienen la experiencia acumulada de la raza o tradición eterna; yacen en el substrato real originario de la personalidad heredada, confundidos con el fondo de continuidad, y de ahí brotan. El conjunto de estos yos formará el "yo total" primigenio, entidad constituida por una pluralidad. La característica esencial de esos yos será la de adquirir conciencia de sí —serse— y crearse. Cada yo que brota del fondo de continuidad obra y muestra el fondo del que dimana —el nimbo que le rodea, diría Unamuno—, con lo que se da realidad fuera de ese fondo, o sea, se crea, haciéndose conocer en el mundo exterior y dándose a conocer a sí mismo.

En el substrato real intravital primigenio del hombre Unamuno se dan dos yos que él mismo nos ha señalado: "Llevo dentro de mí, y supongo que a Vd. le ocurrirá lo mismo, dos hombres, uno *activo* y otro *contemplativo,* uno guerrero y otro pacífico, uno enamorado de la agitación y otro del sosiego"[3], (El subrayado es mío). Como es sabido, en el nivel ontológico unamuniano existen simultáneamente dos tendencias que simbolizan la tentación luciferina del "Todo o Nada"; dos formas de ser —Caín y Abel— que se niegan y se necesitan mutuamente. El "yo activo" queriendo ser, hacerse, en la historia, y el "yo contemplativo" no queriéndolo, más bien queriendo dejarse ser. Estos dos yos intraconscientes originarios serán para el sujeto inconocibles por entero, pues no sabrá cuál de ellos es el que debe ser, aunque ambos sean reales porque ambos obran. Se plantea, como vemos, ya en el nivel primigenio el problema de quién soy yo y quién debo ser, o si hay que aceptar el dualismo como única y vital realidad.

---

[3] *O. C.*, III, pág. 962.

III. EL YO ACTIVO

A ESTE yo podría denominársele también de otros modos, tales como "yo plenitud de plenitudes" o "yo apetito de divinidad", que incluye el querer ser siempre y el querer serlo todo en todos; y es el contradictorio del contemplativo. El yo activo es el yo espontáneo y exuberante de vida que tiene plena confianza en sí mismo: "...fe en sí mismo tiene quien en sí mismo confía... quien siente que su vida le desborda, le empuja y le guía... No tiene fe el que quiere, sino el que puede; aquel a quien su vida se la da, porque es la fe don vital y gracia divina si queréis"[4]. Es el yo que se alza contra el vanidad de vanidades: "...afirmando con la voluntad que el mundo existe para que exista yo, y yo existo para que exista el mundo, y que yo debo recibir su sello y darle el mío, y perpetuarse él en mí y yo en él"[5]. Es el yo propio de los héroes en cuya raíz anida el valor: "Su linaje empieza en

---

[4] *Ensayos,* I, pág. 259.
[5] *Ibid.*, I, pág. 577.

él... pues al fin creía que es cada cual hijo de sus obras y que se va haciendo según vive y obra"[6]. En fin, para no multiplicar las citas, es el yo de la imposición en los demás que se sueña inmortal: "La robusta fe en la propia existencia sustancial es la que nos mueve a irla sellando en todas parte y a todas horas y a dejar nombre y memoria de nosotros en dondequiera y cuando quiera"[7].

---

[6] *Vida de Don Quijote y Sancho,* Buenos Aires-México, Espasa-Calpe, Col. Austral, 1952, pág. 21.
[7] *Ensayos,* I, pág. 576.

IV. EL YO CONTEMPLATIVO

Es el contradictorio del activo y admite otras denominaciones, como "yo vanidad de vanidades" y "yo del anonadamiento". Sobre este yo ha escrito un libro fundamental e interesantísimo Carlos Blanco Aguinaga y a él debo remitir al lector. Sólo que nuestra postura difiere de la suya, la que se refleja en estas palabras: "Se dan, pues, estas dos maneras de ser de Unamuno como alternancia, no simultáneamente, y no hay entre ellas guerra. Cuando suena el estruendo de la agonía, calla su ser contemplativo, su voz es, por su misma naturaleza, interior, apagada, gris, difusa..." [8] Para nosotros el yo contemplativo de Unamuno es por naturaleza "contradictorio" del activo y, por lo tanto, negación, acicate y estímulo para éste. Hijos de una misma realidad ontológica, no es posible independizarlos y hacerles seguir derroteros aislados. Entre el yo activo y el contemplativo subsistirá siempre un lazo íntimo y una interdependencia constantes,

[8] *Op. cit.*, págs. 35-36.

semejante a la que hemos venido viendo entre la historia y la intrahistoria y, en general, entre todos los contradictorios que postula la obra de Unamuno. El que parezca que el contemplativo se acuesta más a la costumbre que el activo, no quiere decir que éste no dependa también de ella, sino al contrario: la costumbre servirá por un lado de motivación para el obrar optimista del yo activo, y por otro de refugio y consuelo en los momentos de duda y pesimismo. Aparte de esto, creemos también que es necesario distinguir las variantes que pueda ofrecer el yo contemplativo en el plano de la conciencia, pues las circunstancias que lo evocan varían y puede darse, y de hecho se da, un Unamuno contemplativo motivado por la agonía y explicable sólo por ésta, según veremos.

El yo contemplativo se presenta como contradictorio del yo activo de estos modos:

1) Lo que proclama y reclama el yo activo, que viene a ser el hacerse una personalidad histórica e inmortalizarse en ella, lo niega la actitud de vanidad de vanidades del yo contemplativo; apoyándose sin duda en la tradición eterna heredada que presiona de estas dos maneras: por un lado en cuanto sabiduría eterna —pretensión de un conocimiento superior de la verdad y la realidad del Universo—; por otro en cuanto hábito o costumbre reacio al cambio.

2) El que el yo activo ceda ante la actitud del contemplativo supone para el primero el anonadamiento, el que renuncie a ser el que quiere o puede ser y se reduzca o a ser "otro" contemplativo, o a ser "algo" anegándose en éste; pero como quiera

que sea es conformarse con no realizarse y perder la posibilidad, aunque sólo se trate de una aspiración, de llegar a ser "todo"[9].

3) Dicha renuncia ofrecería sin duda una solución armónica si el contemplativo ofreciera amplias garantías; si el yo activo estuviese convencido de que el contemplativo fuera el auténtico e indiscutible que debiera realizarse, y si el activo careciese de vitalidad y confianza en sí mismo. Pero cuando ocurre todo lo contrario, cuando el yo activo siente impetuosamente la necesidad y la "gana"[10] de hacerse, y cuando le falta la certeza de saber cuál de los dos es el auténtico —o si los dos son necesarios—, el perder la ocasión de realizarse es exponerse a la nada absoluta, o si no, a un anonadamiento equivalente a la nada. Esta incertidumbre espoleará al yo activo no sólo a querer ser siem-

---

[9] Anonadarse en Unamuno es reducirse a "algo", aunque para el sujeto sea como "nada"; ya se trate de anonadarse en "otro" —prójimo o personaje—, ya en una entidad superior —Dios o el Cosmos—. Y no creo que equivalga a la Nada absoluta, como pretende F. Meyer (Cf. *La ontología de Miguel de Unamuno,* Madrid, Gredos, 1962, pág. 37).

[10] No hay duda de que la "gana" es la fuerza instintivo-biológica que mueve a los yos intraconscientes a obrar y a serse, en tanto que la "desgana" sería la falta de esa fuerza o esa misma fuerza en sentido contrario. También aquí se encuentra un paralelo entre la gana (yo activo, voluntad de ser) y la desgana (yo contemplativo, noluntad). Y es que a la voluntad de ser del yo activo se opone contradictoriamente la noluntad del yo contemplativo, que conduciría al primero a ser como nada (Cf. Unamuno, *Ensayos,* I, págs. 979 y 985).

pre, sino también a querer serlo todo con el fin de no reducirse a nada [11].

[11] Un ejemplo clásico de la interdependencia de dos contradictorios, lo tenemos en *Abel Sánchez,* cuyo título ya lo sugiere simbólicamente. Anticipándonos al tema de "yo y el otro", tenemos:

1) Joaquín no vive nunca en soledad, sino que vive siempre con el otro y por el otro —Abel—.

2) Necesita que viva el otro —el matarle no es la solución—, puesto que es el otro quien le da el ser (ser-odio), quien le ha despertado su intimidad y sin cuya presencia su ser descubierto se desvanecería.

3) Joaquín vive por lo tanto enajenado y poseído por Abel; de ahí que no pueda ser de su mujer ni de nadie más, ya que Joaquín no es de sí mismo.

4) Por su parte Abel, con su conducta —indiferencia e inconsciencia para ver más abajo de la superficie la personalidad de Joaquín—, le niega a éste su ser auténtico —que es precisamente lo que fomenta la pasión del odio—. Es decir, que paradójicamente es Abel quien mata a Caín. (Si permutamos los términos con los yos activo y contemplativo, resulta que es éste el que mata a aquél).

5) Finalmente Abel no se hubiera descubierto a sí mismo, ni hubiera comprendido el sentido de su obra artística sin la crítica constante de Joaquín.

V. LA COSTUMBRE

EN la etapa de *En torno al casticismo* y de *Paz en la guerra,* Unamuno se ocupa de desentrañar y conocer su yo contemplativo, que prefiere dejarse ser a luchar por una personalidad histórica. De ahí que en este período inicial de su pensamiento proclame con la mayor urgencia la necesidad de ir a lo intrahistórico, a descubrir e interpretar la actitud de vanidad de vanidades que adopta el yo contemplativo. Es como si por aquel entonces lo que el autor llama intrahistoria estuviese constituido solamente por el yo contemplativo; y no va a ser hasta que aclare la complejidad y el sentido de esa otra dimensión de su ser con la crisis de 1897, cuando Unamuno experimenta un "cambio de signo" [12].

---

[12] Adviértase que este cambio de signo de que aquí hablamos no corresponde exactamente al que señaló Sánchez Barbudo, cuando dice: "A partir de su crisis su obra cambiará de signo y lo que Unamuno hará, más bien, será levantar guerra sobre la paz, 'fraguor y estruendo' para ocultar el rumor de 'las aguas eternas, las de debajo

A partir de la crisis la realidad íntima unamuniana ofrecerá el siguiente panorama:

1) un yo activo que luchará por realizarse;

2) un yo contemplativo dejándose ser y amenazando al activo con el anonadamiento;

3) la costumbre —una de las dos dimensiones en que el yo contemplativo se escinde— como fuente y albergue de la sabiduría eterna;

4) La Nada absoluta, como amenaza y negación simultánea del yo activo, del contemplativo y de la costumbre. Es decir, que la Nada se revela definitivamente como el contradictorio del fondo de continuidad.

Los logros del yo activo en su lucha por realizarse sedimentarán en la costumbre, la cual habrá de manifestarse en el plano de la conciencia en forma de yo contemplativo. De este modo, si el yo activo fracasara en su intento de hacerse una personalidad histórica, se salvaría de todas formas en la costumbre. Y si, por el contrario, llegase a triunfar, la costumbre se eternizaría también en la historia, pues la interdependencia es íntima y continua y se explica, como sabemos, por el fenómeno de la ósmosis.

La importancia que la costumbre asume en el pensamiento de Unamuno es, como ya hemos visto al hablar del hábito, trascendental. La costumbre no es para Unamuno otra cosa que la eternidad; refugio en la vida y en la muerte, alternativa a la inmortalidad histórica a la vez que posible garantía

---

de todo', porque 'la paz es terrible' " (Cf. *Estudios sobre Unamuno y Machado,* Madrid, Guadarrama, 1959, página 50).

de ésta. Cuando Unamuno declara que "Lo olvidado no muere, sino que baja al mar silencioso del alma, a lo eterno de ésta" [13], expresa la idea de que lo olvidado —la esencia del mundo histórico consciente y por ende la esencia de las obras del yo activo y el yo contemplativo—, se deposita en la costumbre, que es la forma última y más segura de inmortalidad y eternización. Es salvarse, no en la memoria consciente de los hombres, sino en la memoria inconsciente de la humanidad, en los hábitos de la raza y en lo eterno de la Creación. Mientras sobreviva la especie humana habrá huella del grano de arena que la existencia fugaz de Unamuno ha aportado a ella; desaparecida la especie, Unamuno se eternizará en el Cosmos, en los hábitos de éste, pues es más fácil que se le olvide en la memoria consciente que en la habitual. Este viene a ser el sentido de la costumbre en cuanto forma de inmortalidad [14].

---

[13] *Ensayos,* I, pág. 42.

[14] El aspecto de la costumbre como "nada", pero de valor positivo, lo aclara Jorge Enjuto: "Pero su presencia [la nada] no lo conturba como antaño; el hábito, el santo hábito lo acerca a ella sosegadamente. 'Acostumbrarse es ya empezar a no ser' dejó dicho; así, Unamuno, a fuerza de costumbre, se echa su nada a cuestas y sigue, ya tranquilo, el camino que ha de conducirlo a su negación final. Sin aspavientos esta vez, con esa queda compostura que muestra en 'Vendrá de noche'... Y esta nada de hálito maternal pierde la dimensión atemorizante... 'No oye más que el rumor incesante de las aguas del abismo', nos dice al describir la sensación de nada... ¿Cuál ha de ser ese rumor sonoro de las eternas aguas, que corren presurosas sin llegar, allá en el fondo del abismo de nada que lo encierra? ¿Será una fuente?" *(Op. cit.,* pág. 275).

VI. EL QUID DIVINUM

LA trascendencia que en el pensamiento unamuniano tienen las enseñanzas bíblicas es de sobra conocida, pero lo que aquí queremos resaltar es la fusión que Unamuno hace de dichas enseñanzas y las doctrinas evolucionistas en lo tocante al problema de la personalidad. En realidad se trata de armonizar la Ciencia con la Religión buscando en ambas la respuesta a sus angustias metafísicas; descifrar el enigma de esa interrogante de doble apelación que resume su famoso poema "Aldebarán". Unamuno no sabe con certeza cuál de sus yos intraconscientes es el auténtico, pues el fondo del que brotan, esencialmente inconsciente, no le es conocible por completo. Para intentar aclarar el misterio echa mano entonces del *quid divinum;* ¿quién soy yo para Dios? ¿Cuál de los dos quiere Dios que sea? [15]. En general, parece que la respuesta se

[15] La primera mención del *quid divinum* aparece ya en el ensayo sobre la "Tradición eterna": "Pero si dentro de las formas se halla la cantidad, dentro de ésta hay una cualidad, lo intracuantitativo, el *quid divinum.* Todo tie-

la ofrece el yo activo, el querer ser; mas cuando las dudas le invaden y pone en tela de juicio el valor absoluto de los logros de ese yo, y cuando desconfía del anonadamiento que el yo contemplativo le brinda, surge entonces como consuelo la aceptación de los inescrutables designios divinos, la conformidad de que Dios sabrá por qué le ha creado en el enigma. Y esta viene a ser la confianza última, en el sentido divino, en que reposa toda su agonía como esperanza. El *quid divinum* se identifica así con la incógnita salvadora de "Aldebarán": "de eternidad es tu silencio prenda..."

El *quid divinum* es para Unamuno el "yo creación del dedo de Dios" o el "yo creación del Verbo divino": "Y si me ha dicho una vez quedó dicho para siempre. Me ha impreso sobre el alma de mi patria; soy una palabra, una frase, tal vez una estrofa del poema eterno, inmortal, que es su obra divina. Y hasta que uno no ha muerto no ha vivido. De la persona verdaderamente inmortal, de la que ha de ser palabra, frase, estrofa, del poema de Dios, de la historia humana, no digáis nunca: ¡Murió!, cuando haya muerto, sino decid: ¡Vivió!, cuando se muere. Y el que vivió, vive y vivirá"[16]. Unamuno lo identifica con el yo activo, con el apetito de divinidad en el hombre y en toda la Creación: "...el impulso a serlo todo, a ser también los demás sin dejar de ser lo que somos. Y esa fuerza cabe decir que es lo divino en nosotros, que es Dios

---

ne entrañas, todo tiene un dentro, incluso la ciencia" (*Ensayos,* I, pág. 34).

[16] *De esto y de aquello,* Buenos Aires, Sudamericana, 1953, IV, pág. 591.

mismo, que en nosotros obra porque en nosotros sufre. Y esa fuerza, esa aspiración a la conciencia, la simpatía nos la hace descubrir en todo" [17]. Por eso afirma también que es el yo que se quiere ser, en contraposición al que se es: "El ser que eres no es más que un ser caduco y perecedero, que come la tierra y al que la tierra comerá un día; el que quieres ser es tu idea en Dios, Conciencia del Universo: es la divina idea de que eres manifestación en el tiempo y en el espacio. Y tu impulso querencioso hacia ese que quieres ser no es sino la morriña que te arrastra a tu hogar divino" [18]. El *quid divinum* es asimismo el yo bueno que obra el bien: "Y, ¿no será tal vez que despiertas para los buenos cuando a la muerte despiertan ellos del sueño de la vida?... ¿No será la bondad resplandor de la vigilia en las oscuridades del sueño? Mejor que indagar tu sueño y nuestro sueño, escudriñando el Universo y la vida, mejor mil veces obrar el bien, 'pues no se pierde / el hacer el bien ni aun en sueños'. Mejor que investigar si son molinos o gigantes... seguir la voz del corazón y arremeterlos, que toda arremetida generosa trasciende del sueño de la vida" [19]. Sin embargo, en los momentos de crisis Unamuno distingue entre el yo activo que lucha por una personalidad histórica y el *quid divinum:* "¿No estaré a punto de sacrificar mi yo íntimo, el que soy en Dios, el que debo ser, al otro, al yo histórico?" [20].

---

[17] *Del sentimiento trágico,* VII.
[18] *Vida de Don Quijote y Sancho,* pág. 41.
[19] *Ibid.,* pág. 244.
[20] *O. C.,* X, pág. 880.

Como Dios hizo al hombre a su imagen y semejanza, lo hizo también "creador" como El [21], y así el hombre posee la facultad de crear y lo que crea —la "criatura", diría Unamuno [22]—viene a ser la manifestación del *quid divinum;* revelándose y conociéndose de ese modo a sí mismo. Somos hijos a la vez que padres de nuestras obras, ha dicho Unamuno repetidamente [23], de manera que una vez que el hombre ha concluido su obra terrena, ha organizado y aumentado la obra de Dios en colaboración creadora con El. Y es entonces, al final de la jornada, cuando el hombre conoce —en lo que se le ha dado conocer— los designios y los misterios de Dios, y cuando le toca recibir el premio o el castigo por su labor.

El *quid divinum,* al igual que todos los yos unamunianos, debe entenderse como un *faciendum,* deviniendo momento a momento a medida que transcurre la vida: "Y si la historia humana es, como lo he dicho y repetido, el pensamiento de Dios

---

[21] "¿No me hiciste, Señor, a imagen y semejanza tuya? Pues por honrarte, creyendo en Ti, quise crear...", *Soledad,* Barcelona, Juventud, 1954, pág. 138.

[22] "El '¡hágase' fue un sueño. Toda creación, o sea toda poesía —poesía no quiere decir sino creación— y toda criatura, o sea toda persona —poema no quiere decir sino criatura— no son más que sueño, soñación, la creación, cosa soñada o sueño —¿qué tal si dijéramos soñadura?— la criatura", *O. C.,* X, pág. 800.

[23] "Cada uno es hijo de sus obras, quedó dicho, y lo repitió Cervantes, hijo del *Quijote,* pero ¿no es uno también padre de sus obras? Y Cervantes, padre del *Quijote.* De donde uno, sin conceptismo, es padre e hijo de sí mismo y su obra el espíritu santo", *O. C.,* X, págs. 906-907. Véase sobre este tema, C. Blanco Aguinaga, *Op. cit.,* III.

en la tierra de los hombres, hacer historia, y para siempre, es hacer pensar a Dios, es organizar a Dios, es amasar la eternidad... Y es que el reino de Dios, cuyo advenimiento piden a diario los corazones sencillos —'venga a nos tu reino'— ese reino que está dentro de nosotros, nos está viniendo momento a momento, y ese reino es la eterna venida de él. Y toda la historia es un comentario del pensamiento de Dios" [24]. Por lo histórico, por lo que se está haciendo, se llega a conocer lo invisible de Dios, sus misterios. La vida terrena es así un disfrute anticipado del reino de Dios, por lo que este mundo es ya camino: "¿No es ya patria el camino? Y la patria celestial y eterna... el reino de Dios... ¿no seguirá siendo camino?" [25]. Apreciamos aquí la íntima unidad de las tres fases que definen la vida humana: pre-existencia, existencia y post-existencia, y explica el por qué Unamuno llama al nacer "desmorir" y al morir "desnacer" [26].

---

[24] *O. C.*, X, pág. 847.

[25] *O. C.*, X, pág. 920.

[26] Esto de las tres existencias lo ha visto con toda claridad Sherman H. Eoff, quien coloca a Unamuno en la vanguardia de la metafísica del siglo XX, y cuyas palabras traduzco: "Si con el vocablo "existencia" queremos decir "vida", según la concebimos de ordinario, la individualidad que le preocupa a Unamuno puede verse como perteneciente a tres etapas que se unen imperceptiblemente: pre-existencia, existencia y post-existencia". Y más adelante: "Pero la verdad fundamental que él [Unamuno] intuye se centra con suficiente claridad en la convicción de que la personalidad ideal es una realidad presente. No es un concepto estático guardado en el cielo como en un museo; ni es algo que se espera realizar en un futuro lejano, ni tampoco una ilusión muerta perdida en el pasa-

Sin embargo el meollo, la fibra íntima del *quid divinum* no le es conocible por entero en esta vida al hombre. La siguiente poesía lo ilustra:

> *"Conócete a ti mismo"; el pensamiento*
> *de la divina Grecia*
> *culminó en esa flor sus enseñanzas,*
> *¡la rosa de la ciencia!*
> *"Conócete a ti mismo", y este mismo*
> *fuera de mí se encuentra:*
> *soy en mi mismo Dios, Dios me ha traído*
> *y es Dios quien me sustenta;*
> *Dios conmigo se funde, y en mi seno*
> *mi vida toda llena.*
> *Llegar a mí no puedo si no paso*
> *por su divina esencia;*
> *entraré cuando muera en mi secreto,*
> *a Dios conoceré cuando me muera*[27].

---

do. Cierto, Unamuno se proyecta a sí mismo hacia la eternidad, pero al mismo tiempo se adueña de la inmortalidad afirmando que el yo eterno es una posibilidad real y presente para aquel que la viva en este mundo". Y finalmente, este otro párrafo tan significativo: "El auténtico significado de la preocupación unamuniana por el hombre de carne y hueso, yace en su insistencia en la presentidad de la esencia del hombre en la vida que se vive. El individuo es la evidencia visible de la mismidad divina invisible, y la personalidad es el acto humano de personalizar la conciencia divina... en situación de dependencia con respecto al individuo, para que éste le dé un significado propio". *Op. cit.*, págs. 189, 203 y 208.

[27] *O. C.*, XIII, pág. 400.

EL ESCENARIO DE LA CONCIENCIA

I. LA CONCIENCIA

EL paralelo que existe entre los conceptos de historia e intrahistoria se da también entre la conciencia y la personalidad: "El conjunto de todos estos mundos, el universo mental, forma la conciencia, de cuyas entrañas arranca el rumor de la continuidad; el hondo sentimiento de nuestra personalidad. En lo hondo, el reino del silencio vivo, la entraña de la conciencia; en lo alto, la resultante en formación, el *yo* consciente, la idea que tenemos de nosotros mismos" [1]. La conciencia se presenta así como un compuesto de una "entraña" inconsciente que es "el hondo sentimiento de la personalidad", y de una "forma" que ésta adquiere y es el "yo consciente", la idea que tenemos de nosotros mismos. Es decir, que lo auténticamente consciente —porque se conoce— de la personalidad íntima viene a ser la porción que se ha concientizado, que ha logrado serse. Tenemos, pues, que situar los yos

---

[1] *Ensayos,* I, pág. 68.

intraconscientes en la entraña de la conciencia, en tanto que los "yos conscientes" en la forma de ésta.

La conciencia antes de serlo, antes de conocerse a sí misma, "antes de conocerse como razón, se siente, se toca, se es más bien como voluntad" [2]. El camino por el que dicho sentimiento logra hacerse conciencia es el dolor, "...y es por él como los seres vivos llegan a tener conciencia de sí. Porque tener conciencia de sí mismo, tener personalidad, es saberse y sentirse distinto de los demás seres, y a sentir esta distinción sólo se llega por el choque, por el dolor más o menos grande, por la sensación del propio límite... Me siento yo mismo al sentirme que no soy los demás; saber y sentir hasta donde soy, es saber donde acabo de ser, y desde donde no soy" [3]. El aumento del dolor supone la intensificación de la conciencia, siendo la congoja —tribulación, angustia— la que pulsa las teclas más intensas, las del sentimiento trágico de la vida: "Y tiene el dolor sus grados, según se adentra; desde aquel dolor que flota en el mar de las apariencias, hasta la eterna congoja, la fuente del sentimiento trágico de la vida..." [4].

Según todo lo antedicho, hemos de representarnos el advenimiento de los yos conscientes —partiendo de su fondo intraconsciente— del modo siguiente. La entraña de la conciencia es la materia prima de la que nace la conciencia. En esa entraña se manifiestan ciertos yos con un sentimiento de

---

[2] *Del sentimiento trágico,* VII.
[3] *Ibid.,* VII.
[4] *Ibid.,* IX.

querer serse y, como el camino de la conciencia es el dolor, hay que suponer que en un principio o no se daba el dolor o se daba de una manera tenue, y que es en el momento en que los yos intraconscientes chocan entre sí —en que experimentan la sensación del propio límite—, cuando el dolor adquiere cuerpo e incremento. Al convertirse la sensación de límite en agonía sobreviene la congoja y brotan los yos conscientes en forma desesperada. La conciencia es así un parto con dolor y un parto del dolor.

Una vez que esos yos han logrado la conciencia de saberse existentes no podrán ya concebirse como no existentes. Sin embargo, y paradójicamente, su esencia y fundamento seguirá siendo el mundo inconsciente del que salieron y no podrán jamás librarse de él, sino que lo necesitarán como manantial de vida y alimento, según se explica por el fenómeno de la ósmosis. La conciencia es de ese modo un producto, a la vez que un instrumento, al servicio del mundo inconsciente; creada por éste para satisfacer el anhelo de serse. Pero al mismo tiempo un intento desesperado de dar forma racional al conflicto interno; solución que no encontrará la conciencia, pues en ella se reproduce el drama íntimo. La conciencia va a descubrir en cambio lo que F. Meyer ha llamado "la monstruosidad del ser" [5].

No hay que olvidar, sin embargo, que no podemos identificar el mundo concreto de la conciencia con el que podríamos llamar "ser total", que

---

[5] *Op. cit.*, págs. 28-29.

es el hombre de carne y hueso que se llama Miguel de Unamuno. Pues sabemos que siempre queda una porción del mundo inconsciente por descubrir, y potencialidades ignoradas porque no se han necesitado ni para vivir ni para sobrevivir. "Y por último, dice Unamuno, vienen los espirituales, los soñadores, los que llaman aquéllos [los intelectuales] con desdén místicos... los que creen que hay otro mundo dentro del nuestro y dormidas potencias misteriosas en el seno de nuestro espíritu..."[6] Podríamos argüir con el propio Unamuno, en ciertos casos, y con Meyer, que esas potencialidades habrían de clasificarse como "apariencias" y no como seres, ya que no han logrado conciencia de sí; pero de lo que no hay duda es de que integran también el ser total del hombre concreto. Si el ser es inconocible por entero, lo que compone el ser consciente es solamente la parcela que se ha realizado. Que ésta se convierta en la personalidad consciente del hombre concreto, y que éste la estime como "lo único de veras real", no destruye la realidad de lo que está por descubrir, de lo ignoto del ser. Si el ser es un *faciendum* que se va revelando a medida que obra —que viene a constituir al final de la vida la acabada personalidad— sólo se completa, sin embargo, con la potencialidad virgen.

---

[6] *Ensayos*, I, pág. 528.

II. LOS YOS CONSCIENTES

LOS yos conscientes son los que se revelan como existentes, porque obran, en la conciencia del individuo y los forman, por una parte, los yos intraconscientes que han logrado concientizarse, serse; y por otra los yos que brotan del choque de esos yos con el mundo exterior. Los yos intraconscientes querrán imponerse en su pureza, pero la realidad ambiente habrá de afectarlos, por lo que sufrirán transformaciones y adoptarán múltiples perspectivas para no dejar de ser o para asimilar aspectos externos hasta entonces desconocidos para ellos. Por su parte la realidad ambiente intentará el mismo proceso de imposición y sufrirá las mismas transformaciones, O sea, que en el plano de la conciencia los yos se multiplican.

Aplicando el fenómeno de la ósmosis continua entre el mundo de la conciencia y el de la inconsciencia, los yos que se absorban del exterior —al igual que todas las vivencias de todos los yos— pasarán por sedimentación a depositarse, en lo que contengan de valor eterno, en el fondo de continuidad en que yace la personalidad íntima donde se harán carne de la propia carne. En ese hondón del espíritu se convierten en hábito o costumbre, verdad vital para el individuo, y tenderán a manifestarse luego en el escenario de la conciencia, a serse, como si se tratara de yos intraconscientes primigenios. Se verifica así una especie de "eterno retorno" si esos yos que sedimentan han residido ya antes en la personalidad íntima; pero retorno que significa vivificación, inmersión en lo eterno imperecedero para cobrar arrestos a la vez que aportación de nuevas experiencias al tesoro del fondo de continuidad. De ese modo, si el mundo inconsciente enriquece la conciencia con una contribución incesante, el enriquecimiento es mutuo, pues lo inconsciente se va nutriendo sin cesar de la sedimentación.

Ahora bien, tanto los yos que han retornado como los que posan por primera vez en lo íntimo rebrotarán en el plano de la conciencia transformados, porque ya no son idénticos a como entraron, sino que vuelven poseídos de los rasgos de lo íntimo. De ahí que en ese eterno retorno no se den nunca dos yos iguales; lo cual explica el perspectivismo de los yos y la fluidez y evolución de las dos personalidades: la histórica y la íntima. Si el escenario de la conciencia supone el bautizo de fuego para los yos que brotan —o rebrotan— del inconsciente, éste lo es a su vez para cuantos yos conscientes sedimenten. Ese constante flujo y reflujo produce sin duda una muchedumbre de yos y da sentido a aquellas palabras de Unamuno: "Tú mismo en ti mismo, eres sociedad..." [7].

[7] *Ensayos,* I, pág. 243.

Al pasar ahora a clasificar los yos conscientes creemos necesario separarlos en tres grupos: "yos agónicos", "yos contemplativos" y "yos históricos". Cuando los yos que resulten de la congoja den origen al sentimiento trágico de la vida, serán estrictamente hablando "yos agónicos" y, por lo tanto, del linaje de la originaria contradicción entre el yo activo y el contemplativo. En tanto que si los yos que resultan de la congoja no viven en ella, sino que más bien se acuestan a la costumbre o se duermen en ella; o si se trata de yos que parecen dimanar directamente de la costumbre y no de la congoja, entonces tenemos los "yos contemplativos". Pero aparte de esos yos aparecerán otros que tienen su fuente en la realidad ambiente externa, en el prójimo y en la sociedad, y esos son los que llamamos "yos históricos".

III. LOS YOS AGONICOS

LA toma de conciencia del hombre concreto es para Unamuno una experiencia agónica que nace a la luz como resultado del choque desesperado de los yos intraconscientes. Pero dejemos que se exprese F. Meyer: "La conciencia de sí no es, pues, uno de los actores de un drama que enfrenta al yo y al mundo, sino que, en cierto modo, es la envoltura de este drama: la conciencia de sí es el lugar mismo del drama o, mejor aún, es el drama mismo; es esencialmente, por tanto, un puro conflicto, un ser que consiste en un proceso de lucha, un ser agónico"[8]. La conciencia agónica es el crisol por excelencia en que sucumben y renacen, eterna *ave fenix,* los yos contradictorios. Es el símbolo de la muerte fructificadora en cuyo seno se hacen y deshacen los yos que luchan por serse. De esa agonía brotan disparados una serie de yos, como veremos.

---

[8] *Op. cit.,* pág. 68.

El yo compasivo

Es la caridad que destila el amor-dolor de la agonía, llevándola a un dolorismo cósmico y a una concientización del Universo y de Dios: "Y cuando el amor es tan grande y tan vivo, y tan fuerte y desbordante que lo ama todo, entonces lo personaliza todo y descubre el total Todo, que el Universo es Persona también que tiene una conciencia, Conciencia que a su vez sufre, compadece y ama, es decir, es conciencia. Y a esta Conciencia del Universo, que el amor descubre personalizando cuanto ama, es a lo que llamamos Dios" [9].

El yo voluntad

Es la nueva versión del yo activo intraconsciente que se muestra en forma de querer ser y que Unamuno identifica casi siempre con el *quid divinum,* el que uno debe ser para Dios: "Y que éste, el que uno quiere ser, es en él, en su seno, el creador y es el real de verdad. Y por el que hayamos querido ser, no por el que hayamos sido, nos salvaremos o perderemos" [10].

El yo noluntad

Es la dimensión del yo contemplativo intraconsciente que se opone como contradictorio al yo activo y, en este caso y en este nuevo nivel, al yo vo-

---

[9] *Del sentimiento trágico,* VII.
[10] *Tres novelas ejemplares y un prólogo,* pág. 15.

luntad. Se traduce en un querer no ser, pero siendo: "Hay héroes del querer no ser, de la *noluntad*... no es lo mismo querer no ser que no querer ser... De uno que no quiere ser difícilmente se saca una criatura poética, de novela; pero de uno que quiere no ser, sí. Y el quiere no ser, no es, ¡claro!, un suicida. El que quiere no ser lo quiere siendo" [11].

El yo del terror a la Nada

Es el que nace de la amenaza constante de absoluto anonadamiento que sufren el yo voluntad y el yo noluntad al negarse mutuamente; amenaza que servirá de acicate al primero para querer serlo todo: "Tendemos a serlo todo, por ver en ello el único remedio para no reducirnos a nada" [12].

El yo nada

Este yo es el resultado de los logros que obtienen el yo voluntad y el noluntad y es, por lo tanto, un "algo". Volvamos a Meyer: "Este nada, es más bien, "algo", mas un algo que no es precisamente sino eso, un algo que, frente al todo, frente a lo infinito, es *como nada*". "Mi "nada" no es, pues, un nada positivo en el seno de la plenitud del ser, un puro vacío, sino mi voluntad misma de no ser sino algo, en contradicción dialéctica con mi voluntad de serlo todo" [13].

---

[11] *Ibid.*, págs. 14-15.
[12] *Del sentimiento trágico, III.*
[13] *Op. cit.*, pág. 36.

El yo de la probabilidad

Viene a representar la esperanza desesperada de la lucha en que se enzarza el yo voluntad, cuando aún le sobran arrestos y antes de ceder al yo del "eterno retorno" contemplativo que estudiaremos más adelante. En este caso, el querer ser parece que es objetivación suficiente de lo que se anhela: "¡hermoso es el riesgo!", exclama Unamuno, de ser inmortales como decía Platón [14].

El yo de la expectativa

Este yo ofrece dos caras, la una negativa o pesimista y la otra afirmativa u optimista. Dentro de los yos agónicos cae la primera, que vive en el desaliento: "¡Qué horrible vivir en la expectativa, imaginando cada día lo que puede ocurrir el siguiente! ¡Y lo que puede no ocurrir! Me paso horas enteras solo, tendido sobre el lecho solitario de mi pequeño hotel... contemplando el techo de mi cuarto y no el cielo y soñando en el porvenir de España y el mío. O deshaciéndolos. Y no me atrevo a emprender trabajo alguno por no saber si podré acabarlo en paz" [15].

El yo del suicidio

Presenta una serie de variantes, según se acueste al yo noluntad o a la costumbre. Dentro de la noluntad cae, paradójicamente, el suicido por amor a la vida: "Es el desenfrenado amor a la vida, el

---

[14] *Del sentimiento trágico,* III.
[15] *O. C.,* X, pág. 858.

amor que la quiere inacabable, lo que más suele empujar el ansia de la muerte... Si deshecha la ilusión de vivir... La muerte es nuestro remedio... Y así es como se endecha al reposo inacabable por miedo a él, y se la llama liberadora a la muerte" [16].

---

[16] *Del sentimiento trágico,* III.

IV. LOS YOS CONTEMPLATIVOS

SON los que, como ya dijimos, o dimanan de la costumbre o se acuestan a ella buscando el anonadamiento, es decir, no la nada absoluta sino un "algo", un modo de ser, pero en "otro"; y buscando también refugio y paz.

El yo nirvana

Es la manifestación en el escenario de la conciencia de la dimensión del yo contemplativo intraconsciente que constituye la costumbre. Y aunque podemos decir con Blanco Aguinaga que este contemplativo no es conciencia de agonía, sino de placidez y de anonadamiento, hay que añadir que en él se refugian también los yos agónicos cuando sufren de desaliento y cansancio de lucha. Y los refugios son los que señala Blanco Aguinaga: el claustro intrauterino, la infancia, la vida hogareña, la idea de la madre y de la esposa como madre y el espectáculo de la Naturaleza.

El yo del eterno retorno

Es la consecuencia del desaliento que sucede a la lucha y puede ser desaliento por frustración, por imposibilidad de lograr la meta anhelada, por falta de arrestos para continuar o, incluso, por rebelión ante el fracaso. Este yo se refugia momentáneamente en el contemplativo en cuanto costumbre hasta que la sensación de terror a la nada lo vuelve a espolear. Precede siempre, por lo tanto, al momento de la agonía que reiniciará la lucha: "...y recordando la fantasía de la *vuelta eterna* del pobre Nietzsche, se me volvió a despertar una ficción trágica en que he solido caer cuando he tratado de evitar que Dios se suicidara en mi conciencia. Y es figurarme que al llegar a una hora en la procesión de los siglos empezara el Universo a remontar su curso, a revertir su marcha, como la melodía de un disco de fonógrafo que se tocara al revés, y la historia con ello, y volviéramos a vivir nuestras vidas, pero desde la muerte al nacimiento, y se llegase así al *fiat lux* y al principio en que era la Palabra, para volver a recomenzar el movimiento de lanzadera" [17].

El yo de la expectativa

La faceta afirmativa y optimista de este yo se alimenta de los acontecimientos venideros, del deseo de saber qué pasará, y se nutre por lo tanto más de la contemplación que de la acción: "Cada día deseo el día siguiente, a ver qué es lo que nos

---

[17] *O. C.*, X, pág. 533.

dicen los diarios. Y casi todos los que tenemos conciencia civil histórica, los que somos más que menos consumidores económicos, vivimos una vida de expectativa" [18].

El yo del suicidio

En este caso el yo se inclina a la costumbre motivado por el deseo de anonadamiento, de ser en otro y por otro. Desde el punto de vista de la vida terrena pueden ser la fe del carbonero, el entontecimiento en la acción y el anegarse en la sociedad, soluciones que se dan todas en *San Manuel Bueno.* En el plano divino, en cambio, el suicidio vendría a ser el disolverse la conciencia individual en el seno de Dios: "Si llegáramos a ver claro esa anacefaleosis; si llegáramos a comprender y sentir que vamos a enriquecer a Cristo, ¿vacilaríamos un momento en entregarnos del todo a El?" [19].

[18] "Vivir para ver", en *Inquietudes y meditaciones,* Madrid, Afrodisio Aguado, 1956, pág. 177.
[19] *Del sentimiento trágico,* X.

6

TEORIA DEL OTRO

I

PUESTO que el sentimiento trágico de la vida unamuniano es de raíz ontológica, su teoría del Otro hay que enfocarla y estudiarla desde una doble vertiente: la interna y la externa, aunque ambas se entrelacen y comuniquen. Por eso conviene distinguir entre el Otro que se revela en la conciencia como contradictorio de cada uno de mis yos íntimos y es un fenómeno estrictamente individual y personal, porque tal es la constitución de mi ser, y el Otro en cuanto "prójimo", que pertenece al encuentro mío con la realidad ambiente externa. Tratemos primero de la vertiente interna.

La afirmación alternativa de los contradictorios que Unamuno postula desde el comienzo de su obra, es la que sienta las bases de su teoría de Yo y el Otro con todas sus variantes. Y el problema se le plantea así: se trata de saber quién es el Uno, pues por negación de éste se da utomáticamente el Otro. En el mundo inconsciente los yos que posean carácter afirmativo constituyen el Uno, el lado positivo de la personalidad íntima, en tanto que la negación de los anhelos de esos yos —el anonadamiento y la amenaza de la Nada— viene a ser el Otro de cada uno de ellos. Tomados en conjunto, los yos que afirman forman el *Uno total,* mientras que la suma de los yos que niegan da el *Otro total.*

El mismo fenómeno se repite y multiplica con la toma de conciencia de los yos intraconscientes: todos los yos que muestren un *querer ser* encierran el Uno, en tanto que los que manifiestan un *querer no ser* se definen como el Otro. Es siempre la dialéctica de la afirmación alternativa de los contradictorios. Como bien dice Zubizarreta, "Recuérdese que Unamuno era un hombre que quería realizar la plenitud de su persona en todos los aspectos de ella sin abandonar ninguno, era aquel que luchaba, por ello, entre el oficio y el hombre, el escritor y el hombre y otras tantas oposiciones complicadas y variables según las circunstancias concretas y las concretas perspectivas" [1]. Y en esta dialéctica hay grados. Cuando el Uno que aspira a realizarse por entero no lo logra, la porción realizada puede parecerle tan pequeña e insignificante que es como si fuera "nada"; un algo que por su poquedad corre el peligro de ser absorbido por la ingente figura del Otro. Por otra parte, la renuncia del Uno a realizarse, su abdicación, supondría el anonadamiento, la disolución en el Otro. El Otro, pues, no es sino la amenaza continua de anonadamiento del Uno a lo largo de toda la trayectoria vital de éste, y se convierte, por lo tanto, en una perspectiva. La Nada absoluta entonces sólo se da en Unamuno como negación simultánea y total del Uno y del Otro, vi-

---

[1] *Unamuno en su "nivola",* pág. 183.

niendo a ser así la dimensión última que hace de contradictorio del fondo de continuidad. Con lo que resulta que los dos polos opuestos en los que en última instancia se debaten el ser y la personalidad, son: en un extremo la Nada absoluta y en el otro el fondo de continuidad; éste el Uno y aquélla el Otro. (Y si los extremos se tocan, como quería Hegel, el Todo y la Nada son una misma cosa).

II. LOS YOS EX-FUTUROS

LOS yos ex-futuros representan la posibilidad, la potencialidad del ser del hombre de carne y hueso para adquirir innumerables perspectivas y, en este sentido, surge también aquí el problema del Otro. El yo que se es —porque se le ha escogido, seleccionado de entre una pluralidad de yos posibles— se convierte en el Uno con respecto al Otro que se pudo ser. Y viceversa. Para los yos ex-futuros, o yos que se pudo ser, cuya existencia se añora o cuya supresión se lamenta, el yo que se es posee el carácter de Otro, pues fue éste quien anonadó a los demás. Y de ahí, dice Unamuno, "el terrible misterio del remordimiento, quicio de la moral religiosa. Cuando nos pesa de veras, cuando nos remuerde el haber cometido o haber omitido algún acto, lo que nos pesa es el haber asesinado con aquella comisión u omisión un yo ex-futuro, el haber destruido otro hombre posible. Ya que el hombre íntimo, el eterno, es hijo de sus obras. Y sus obras de él, y aquí está el trágico círculo vicioso de la conciencia" [2]. Uno de los sentidos que contiene

[2] *O. C.*, X, pág. 532.

el drama *El otro,* es precisamente este. La culpabilidad que arrastra "el otro" que le conduce a no saber cuál de los dos es, se debe por un lado a haber asesinado a su hermano gemelo, pero por otro a que con el fratricidio cercenó para siempre una dimensión de sí mismo que tenía tanto derecho a vivir como la que quedó y que además necesitaba para completarse. Es el terrible misterio del tiempo, dice Unamuno en otro lugar, "No se puede vivir sino muriendo, no se puede ser sino dejando de ser" [3]. Es el tener que comprometerse, asumir la responsabilidad ante la vida, el obrar por cuenta propia, lo que nos fuerza a seleccionar un yo con preferencia a otro que tal vez hubiera resultado mejor. Existir es obrar y las obras modelan la personalidad realizada; y por esas obras y esa personalidad nos condenaremos o nos salvaremos.

Los yos ex-futuros no se agotan, sin embargo, aquí. "A la conciencia del hombre, dice Unamuno, apenas llega más que aquello que necesita conocer para vivir o para sostener, acrecentar e intensificar la vida... Y puede haber, y de hecho hay, aspectos de la realidad, o más bien realidades, que no conocemos porque su conocimiento no sirve para sostener, acrecentar e intensificar la vida actual" [4]. Si los yos ex-futuros por los que se siente remordimiento han asomado de algún modo al plano de la conciencia, existen otros en potencia que se desconocen por entero, en estado letárgico, que no han despertado seguramente por carecer de estímulo o de gana de

---

[3] *Ibid.,* pág. 188.
[4] *Ensayos,* I, pág. 560.

ser. Se supone, por lo tanto, que en otro ambiente o en otras circunstancias habrían de despertar; o tal vez que vivieron y fueron en una etapa anterior de la evolución humana y ahora reposan, o que con el tiempo al evolucionar el mundo se les reclame. Estos yos ex-futuros ignotos revelan una vez más la casi infinita potencialidad del hombre, su capacidad de adaptación que saca energía de reserva cuando las circunstancias las exigen.

III. LOS YOS PASADOS

LOS yos pasados, o yos que se ha sido y ya no se es, aunque les quepa retornar, pueden pertenecer a dos grupos: 1) pueden haber sido meras "vivencias" de la conciencia —en el sentido de primera impresión— y, por lo tanto, algo momentáneo, elemental y pasajero; 2) o pueden haber sido "perspectivas" que adoptaron los yos permanentes en el acontecer vital del hombre concreto, disfrutando de ese modo de una mayor duración que los anteriores. Ahora bien, ambos tipos de yos pasados tuvieron en común un estado de ánimo que los motivó y les acompañó mientras subsistieron y eso, que es experiencia, no muere sino que sedimenta como todo lo unamuniano en la personalidad íntima. Los yos pasados ofrecerán el rasgo peculiar de haber vivido y, por haber vivido, vivirán en forma de potencialidad que puede despertarse de nuevo, al igual que los yos ex-futuros. La angustia unamuniana por el transcurso del tiempo y la contemplación agónica del paso de sus yos, era una de las razones por las que necesitaba revivir el pasado, transportarlo al presente para alargar la vida y recobrar la conciencia de que había vivido y de lo que había vivido; era también cobrar fuerzas y esperanza para el futuro, en ese "pasado que se hace porvenir", previendo desde el presente lo que será el futuro a través del prisma del pasado. Era situarse imaginariamente en el porvenir para observar la propia obra, anticipando de esa manera su destino, y saber cómo responde y responderá a las propias ansias, al que ha querido ser y al que ha sido.

LA PERSONALIDAD HISTORICA

I. CONOCETE A TI MISMO

El problema unamuniano de la personalidad que conduce al estudio del Yo y el Otro, implica como postulado inicial el "conócete a ti mismo", pues solamente así podrá el individuo ser el que es y el que debe y quiere ser. El método que sigue Unamuno en esa rebusca de sí mismo es doble: el de la introspección y el de la conducta. Introspectivamente intenta desentrañar su intrahistoria, sus yos íntimos y su fondo de continuidad, esforzándose, a la manera de los místicos españoles, por hallarle un sentido trascendental a lo humano. En cuanto a la aplicación del método de la conducta que ya hemos estudiado, deja que la personalidad íntima y todas sus potencialidades se muestren abiertamente en las obras, para luego estudiarlas y convertirlas en conocimiento reflexivo.

El método introspectivo comienza por mirarse uno al espejo para conocer su físico, "sostén y masa de lo que llamamos nuestra parte espiritual..."[1]. La importancia del cuerpo, señalada ya por Laín

[1] *O. C.,* X, pág. 111.

Entralgo [2], y la necesidad de que mi físico se distinga del de los demás es uno de los problemas clave del drama *El otro.* Cuando los dos hermanos gemelos se miran a la cara no saben quién es quién y sienten que se roban la personalidad mutuamente, que se niegan y destruyen el ser individual. Y el problema persiste aun después de que desaparezca el Otro, pues siempre que el que queda se vea en el espejo no se verá a sí mismo, sino que verá al "otro". Ya sea cuestión de mi intimidad dual —Caín y Abel—, ya del prójimo, el Otro tiene que diferenciarse del Uno, si es que éste quiere llegar a conocerse a sí mismo, pues sólo es ello posible mediante la dialéctica de los contradictorios, física y espiritualmente.

El método de la instrospección sigue luego con una serie de facetas que parten del desdoblamiento de sí mismo: 1) mirarse en el espejo para verse como Otro; 2) crear autodiálogos —diálogos con los múltiples yos que se dan dentro de la propia conciencia—; 3) leer y releer los escritos de uno objetivamente, con el fin de ponerse en el lugar del Otro; 4) crear personajes literarios que representan potencialidades del ser que no se había realizado o que se habían relegado, intentando de ese modo sorprender el momento y el misterio de la creación, apreciar su desarrollo y tendencias y crearse a sí mismo como personaje [3]. (El revivir el pasado —y

---

[2] *Teoría y realidad del Otro,* pág. 153.

[3] En la cita siguiente, Unamuno describe cómo le brotan los entes de ficción, que nos recuerda *El amigo Manso,* de Galdós: "La cosa fue que un día surgió dentro de mí un pobre ente de ficción, un puro personaje de no-

el retraducirse— para encontrale significado actual y permanente a la vez que para recuperarlo, es otro aspecto esencial de la búsqueda de sí mismo).

---

vela, un homúnculo que pedía vida... El pobrecito quería ser y existir... Es el genio de la especie el que produce el amor, y así también es el genio de la ficción el que nos mueve a escribir. Fue Don Quijote el que movió la pluma a Cervantes. Y fue mi pobre homúnculo, mi Augusto Pérez —así lo cristianicé o bauticé— el que rebulló en las entrañas de mi mente pidiéndome existencia de ficción", *O. C.,* X, pág. 334.

En esta otra se aprecia la correspondencia vida - novela - autobiografía: "Sí, toda novela, toda obra de ficción, todo poema, cuando es vivo es autobiográfico. Todo ser de ficción, todo personaje poético que crea un autor hace parte del autor mismo...

He dicho que nosotros los autores, los poetas, nos ponemos, nos creamos en todos los personajes poéticos que creamos, hasta cuando hacemos historia... Todos los que vivimos principalmente de la lectura y en la lectura, no podemos separar de los personajes poéticos o novelescos a los históricos. Don Quijote es para nosotros tan real y efectivo como Cervantes, o más bien éste tanto como aquél. Todo es para nosotros libro, lectura; podemos hablar del Libro de la Historia, del Libro de la Naturaleza, del Libro del Universo. Somos bíblicos. Y podemos decir que en el principio fue el Libro. O la Historia. Porque Historia comienza con el Libro y no con la palabra, y antes de la Historia, del Libro, no había conciencia, no había espejo, no había nada. La prehistoria es la inconsciencia, es la nada.

Dice el Génesis que Dios creó al Hombre a su imagen y semejanza. Es decir, que le creó espejo para verse en él, para conocerse, para crearse", *O. C.,* X, 861.

II. EL OTRO COMO PROJIMO

EL contacto y la convivencia con sus semejantes impone al individuo concreto el problema del Otro en un sentido y dimensión distintos. Este Otro que surge ahora va a ser exclusivamente el "prójimo", que se va a revelar, sostener y comportar conforme a la misma dialéctica de los contradictorios, pauta que caracteriza a todo el pensamiento de Unamuno. Y esta dialéctica de Yo y el Otro-prójimo sentará las bases de la personalidad histórica del hombre concreto de carne y hueso, al tiempo que va a agudizar como nunca la cuestión de la *identidad* y la *continuidad:* "si uno es lo que es" y "seguirá siendo lo que es", según distingue Unamuno en el prólogo de su *San Manuel.*

III. LA IMAGINACION

COMO es bien sabido, la imaginación es para Unamuno "la facultad más sustancial", la que nos permite penetrar en el secreto del yo íntimo, propio y ajeno; es la que "mete la sustancia de nuestro espíritu en la sustancia de las cosas y de los prójimos" [4]. Según lo cual los hombres habrán de dividirse o clasificarse de acuerdo con el mayor o menor uso que hagan —y según el grado en que la posean— de la imaginación, siendo los "imaginativos" los que lograrán una más profunda intuición de la sustancialidad de todas las cosas. Dentro de tal distinción caen: 1) los espirituales: soñadores, místicos, que no toleran la tiranía de la ciencia ni de la lógica, que creen que hay otro mundo dentro y potencias dormidas; 2) los poetas, que nos

---

[4] P. Laín Entralgo estudia el tema del Otro en *Teoría y realidad del Otro,* págs. 145-156.

Para los datos que recopilamos en este capítulo, véanse los siguientes ensayos de Unamuno: "Intelectualidad y espiritualidad", "¡Plenitud de plenitudes y todo plenitud!", "El secreto de la vida" y "Sobre la consecuencia, la sinceridad", en *Ensayos,* I.

dan un mundo personalizado, hecho hombre, y el verbo hecho mundo [5]. El poeta es el vidente en prosa y en verso; de ahí que Unamuno prefiriera ser tenido por poeta y calificara de poesía toda su obra, fundiendo de ese modo los varios géneros literarios; 3) los sencillos que, como los niños, lo ven todo, porque viven sumergidos y empapados en el secreto de la vida. (Esto explica la nostalgia de niñez y de ultra-cuna que padecerá siempre Unamuno).

---

[5] Sobre este tema, véase el estupendo estudio de Luis Felipe Vivanco, "El mundo hecho hombre en el *Cancionero* de Unamuno", en *La Torre,* julio-diciembre, 1961, págs. 361-386.

IV. EL OTRO IMPRESCINDIBLE

EL postulado unamuniano de "yo y el mundo nos hacemos mutuamente", viene motivado por la necesidad del "conócete a ti mismo", pues el Otro nos hace conocernos. Por una parte limitándonos, poniendo hitos a la voluntad expansiva de nuestra personalidad; por otro haciendo de contradictorio por ser distinto de mí. Pero al mismo tiempo despertando en nosotros ideas y sentimientos en potencia que de otro modo permanecerían dormidos. "Cada cual lleva en sí un Lázaro que sólo necesita de un Cristo que lo resucite" [6], dice expresivamente Unamuno. Y si los otros son pocos, si el contacto con el prójimo es mínimo, la personalidad propia corre el riesgo de estancarse y de que, gran porción de su potencialidad, quede por descubrir.

---

[6] *Ensayos,* I, pág. 829.

V. PROBLEMAS QUE PLANTEA EL OTRO

LA convivencia con el prójimo plantea incógnitas e inicia la serie de acciones y reacciones del yo en una especie de lucha por la supervivencia. En primer lugar surge siempre la siguiente pregunta, ¿Me ve el prójimo como me veo yo? Unamuno halla la respuesta en el imperativo de la sinceridad, que admite la existencia de un secreto en todos —el secreto de la vida lo llama don Miguel—, un algo desconocido e inconocible por entero que permanece velado para los demás. Sólo cabe adivinarlo mediante la imaginación, a través de la mirada del Otro o a través de su presencia espiritual. El proceso imaginativo viene a ser así un acto de creación, que crea lo desconocido del Otro, siendo el ejemplo clásico el de *Don Sandalio, jugador de ajedrez.*

En segundo lugar, al entrar en comunicación con el Otro, mi yo sorprende varias anomalías: 1) Mis actos no son exclusivamente míos: yo quiero hacer al Otro mío, hacerlo yo, personalizarlo, y el Otro quiere hacerme suyo, despersonalizarme. Como dice J. Marías, "la realización es, a la vez, una enajenación"[7]; 2) La comunicación con el Otro no es directa, exige que uno se valga de ciertos medios, siendo el lenguaje el más importante de ellos. El lenguaje, dice Unamuno, es comunal y externo, reviste con elementos sociales lo que uno quiere expresar y pierde entonces su pureza. Además, el pensamiento que se hace letra ya no es de uno sino de todos, y la exégesis, la interpretación libre de un escrito, lo enajena todavía más.

Las soluciones ideales del problema de la comunicación son para Unamuno estas: 1) Ir creando el lenguaje a medida que se habla; 2) transmitir el pensamiento sin más palabras que aquellas vaguísimas en que se apoya dentro del alma; 3) la comunión sustancial de los espíritus, entenderse por simple presencia espiritual, como cuando se escucha el canto silvestre en lontananza; 4) adivinación por la mirada; y 5) comunicarse por metáforas, como hace el poeta.

---

[7] *Op. cit.*, pág. 207.

VI. LA MORAL DE IMPOSICION MUTUA

PARTIENDO de los rasgos que se intuyen o se observan en la propia intimidad, surge como imperativo moral el de la imposición mutua. El que los otros quieren que uno sea y el que los otros creen que uno es, tiene su contrapartida en el que uno quiere que los otros sean o cree que son, pues Unamuno atribuirá su propio "secreto de la vida" a los demás. El alcance de la moral de la imposición mutua guardará de ese modo un estrecho nexo con el problema de la *individualidad* y la *personalidad,* según el grado que el individuo posea de una y otra. "La noción de persona, explica Unamuno, se refiere más bien al contenido, y la de individuo al continente espiritual... La individualidad dice más bien respecto a nuestros límites hacia afuera, presenta nuestra finitud; la personalidad se refiere principalmente a nuestros límites, o mejor a nuestros no límites, hacia adentro, presenta nuestra infinitud"[8]. Como dice Meyer, "se ve aquí,

[8] *Ensayos,* I, págs. 439 y 443.

subrayada de un modo evidente, la idea de que una persona viva debe, *a la vez,* volver sobre sí misma y abrirse al exterior, hacia 'el otro'; la conciencia y la vida no existen sino por este doble movimiento antitético hacia sí mismo y hacia el otro, hacia la interioridad y hacia la exterioridad"[9]. Según esto y siguiendo a Unamuno, tenemos:

1) Yo soy el primer prójimo de mí mismo, de ahí que debo partir de mí: "¡Ama a tu prójimo como a ti mismo!, se nos dijo presuponiendo que cada cual se ame a sí mismo; y no se nos dijo, ¡Amate!"[10]. Y esto no es egoísmo, pues se trata de lo humano en nosotros por lo que "Nada hay más universal que lo individual, pues lo que es de cada uno lo es de todos". Unamuno contrapone siempre el *egotismo* —el yo magnánimo que se da entero a los demás— al *egoísmo* —el yo avaro que se reserva para sí—. Y esta es la base de lo que denomina *nos-ismo,* cuya esencia apreciamos en este párrafo: "Además mis lectores saben que al defender yo y exaltar tan porfiadamente mi personalidad es que defiendo y exalto toda personalidad, la de cada uno de los que me leen, de mis lectores, y la de los que no me leen. Todos nosotros somos yos, cada uno de vosotros los que me leéis sois un yo, y así el egotismo es la posición más altruista y más universal. Y yo no defiendo y predico un yo puro, como el de Fichte, el apóstol del germanismo, un yo que no sea más que yo, sino que defiendo y predico el yo impuro, el que es todos los demás a la vez que

---

[9] *Op. cit.,* pág. 63.
[10] *Del sentimiento trágico,* III.

él mismo. Porque yo pretendo, oh mis lectores, ser yo y ser vosotros y ser algo y en algún momento cada uno de vosotros... Si yo no os dijese algo que sin vosotros saberlo esté escrito en el fondo de vuestras almas, no me leeríais. Pues tengo la pretensión de dar forma a informes y oscuros pensamientos vuestros"[11]. En este sentido, el *nosotros* respeta el yo de cada uno y viene a ser contradictorio del egoísmo. Y para evitar el peligro de que el nosotros ahogue al yo de cada uno brota la moral de imposición mutua.

2) Querer que el prójimo sea como yo es querer yo ser él: "Para dominar al prójimo hay que conocerlo y quererlo. Tratando de imponer mis ideas, es como recibo las suyas. Amar al prójimo, es querer que sea como yo, que sea otro yo, es decir, es querer yo ser él; es querer borrar la divisoria entre él y yo..." [12]. Ya sabemos que esto se consigue por la imaginación, colocándose en el lugar del Otro y atribuirle los rasgos de la propia personalidad con el fin de que las dos sustancialidades se comuniquen. Es hacer del Otro prójimo y sentirlo como tal. Es proyectar mi yo en los demás, pero esperando que los demás hagan eso mismo, pues por ese camino nos conoceremos y comunicaremos y modificaremos mutuamente.

3) Querer que el prójimo sea como yo es hacer que el prójimo se conozca a sí mismo. Es hacer yo de Otro para los demás y es despertar en ellos potencialidades dormidas. "Yo no te hablo más que

---

[11] *O. C.*, X, pág. 333.
[12] *Del sentimiento trágico*, XI.

a ti, lector, a ti sólo, y cuanto más solo estés, cuando no estés más que contigo mismo. Yo no quiero ser, lector, sino el espejo en que te veas tú a ti mismo. ¿Que el espejo es cóncavo o convexo y de tal especie de concavidad o convexidad que no te reconoces y te duele verte así? Pues conviene que te veas de todos los modos posibles. Es la única manera de que llegues a conocerte de veras... No sabrás quién eres hasta que, al verte un día de tal modo deformado por el espejo, te preguntes: '¿Pero éste soy yo?', y empieces a dudar de que tú seas tú, empieces a dudar de tu existencia real y sustancial. Aquel día empezarás a vivir de veras. Y si eso me lo debieras, podría yo decir, lector, que te había criado. Lo que es mucho más que haberte engendrado. ¿Me entiendes?"[13]. Es, como vemos, hacer que al Otro se le revele su propia intimidad, mediante la comunicación y el contacto de la mía. Es hablarle personal y directamente a solas para que nuestras almas se encuentren, haciéndole ver que la raíz del secreto de la vida mutuo es la misma. Es crear al Otro en la medida en que despierto para él facetas desconocidas de su personalidad.

4) El peligro está en la enajenación. El hombre que carece de una fuerte individualidad corre el riesgo de que su yo se disuelva en el del prójimo. "Cuando se goza, dice Unamuno, olvídase uno de sí mismo, de que existe, pasa a otro, a lo ajeno, se en-ajena, y sólo se ensimisma, se vuelve a sí mismo, a ser él, en el dolor"[14]. El que se enajena ya no es

---

[13] *O. C.,* X, pág. 318.
[14] *Ensayos,* I, págs. 860-61.

el que quiere ser, sino el que los demás quieren que sea. Esto que tal vez comenzó por imposición de mi yo en el prójimo puede terminar en mi adopción de su yo, con lo cual me convierto en hipócrita, pues acepto por completo el papel que me imponen de afuera: "Solemos comprar la consecuencia a precio de la sinceridad y que a trueque de aparecer ante los demás como les hicimos esperar que apareceríamos, nos hacemos traición a nosotros mismos, ser consecuente suele significar las más de las veces ser hipócrita..." [15].

Pero nótese que puede tratarse también del papel que uno representa ante los demás lo que se impone en ellos; es decir, que el prójimo vea en mí el que yo quiero que ellos crean que soy. Y este papel tiene otro carácter, pues no es consecuencia con los demás en el sentido anterior, sino dejar a salvo la propia individualidad. "¿Hipócrita?, pregunta Unamuno tomando la palabra ahora en su sentido etimológico, ¡No! Mi papel es mi verdad y debo vivir mi verdad, que es mi vida" [16]. En este sentido, aparece el yo íntimo como impenetrable para los demás y uno tiene plena conciencia de ello: "Yo bailaba; bailaba al son de una música que los demás no oían... Y no saben que yo no oigo siquiera sus palmadas... es que ellos aplauden porque yo brinco, y no brinco yo porque ellos aplaudan..." [17].

---

[15] *Ibid.*, pág. 847.
[16] *O. C.*, X, pág. 881.
[17] *Ensayos,* I, págs. 698-99.

VII. EL OTRO COMO YO EX-FUTURO

COMO corolario de la moral de imposición mutua uno de los aspectos de los yos ex-futuros es el prójimo. Los yos ex-futuros son los demás hombres porque, 1) al expresar dichos yos en novela les revela a ellos sus yos íntimos y los yos posibles que quisieran ser; 2) y porque el escritor pone de manifiesto a sus hermanos la solidaridad humana, pues pensando lo que hicieron los antepasados hace, crea, lo que pensarán los sucesores. Nuestros yos ex-futuros son, pues, los demás hombres en cuanto revelan lo que tenemos en común por la creación imaginativa, y porque cada uno de nosotros es a la vez el yo ex-futuro de algún otro, su ideal, el que éste quiso o quisiera ser [18].

---

[18] Cf. *O. C.,* X, pág. 530.

La misma moral de la imposición mutua rige para el concepto de Dios. Dios es el Otro por excelencia. "Dios viene a ser nuestro yo proyectado al infinito. Esta proyección le hace, a la vez que algo como nosotros, algo en que podemos confiar, porque sus caminos y procederes son como los nuestros, una potencia antropomórfica", *(Ensa-*

yos, I, pág. 460). Sin embargo queda a salvo la distancia radical que separa a Dios del hombre. Partiendo de la idea clásica y agustiniana de que fue el terror el que hizo a los dioses, se antropomorfiza a Dios para intentar conocerle y actuar en consecuencia, pero Dios sigue en ultima instancia permaneciendo como un misterio, y de ahí lo inesperado: "...algo también enteramente diferente a nosotros, tan diferente como puede serlo lo infinito de lo finito, algo ante lo cual hay que temblar, porque puede sorprendernos, cuando menos lo creamos, con alguna cosa inesperada".

LOS YOS HISTORICOS

I

LA lucha por el nombre es lo verdaderamente humano, lo que distingue al hombre de las demás criaturas. Luchar por el nombre es dar sentido humano, y por ende trascendental y divino, al Universo: "¡El nombre! El nombre es la esencia humana de cada cosa. Un objeto cualquiera natural, una roca, un árbol, un río, un monte, un león, un animal, se hace humano, se humaniza y hasta se domestica cuando un hombre, en lengua cualquiera humana, le pone nombre... Y es por esto por lo que los hombres luchamos más por nombres que por cosas, ya que cosa sin nombre no es humana" [1].

Los yos históricos, con todas las perspectivas a que den lugar, se resumen en dos: el "yo social" y el "yo leyenda". La calidad de lo histórico muestra todo su significado en contraste con lo divino, en la encrucijada que supone la doble alternativa de la inmortalidad de la fama por un lado, y la vida eterna cristiana por otro. Y es ante ese dilema —en

---

[1] *O. C.,* X, pág. 935.

el momento en que la duda ante el enigma de lo divino nos invade y la fama cobra sentido como un sustituto pálido y desesperado—, cuando el problema de la *continuidad* alcanza su punto más dramático. "Y el fin de la vida es hacerse un alma, dice Unamuno, un alma inmortal. Un alma que es la propia obra. Porque al morir se deja un esqueleto a la tierra, un alma, una obra a la Historia. Esto cuando se ha vivido, es decir, cuando se ha luchado con la vida que pasa por la vida que se queda"[2]. A pesar del dramatismo que sabemos encierran estas palabras, se aprecia, sin embargo, un camino a seguir de carácter afirmativo y esperanzador en el fondo. Contra el común estribillo de la crítica conformista de que Unamuno ni da respuestas ni ofrece soluciones, podemos presentar esta norma de conducta para la vida que nos permite desarrollar y explotar nuestra personalidad al máximo. Esta vida es ya camino para la otra, ha dicho Unamuno, y la vida terrena es la ocasión y la oportunidad que Dios nos ha brindado para hacernos una personalidad histórica —para triunfar en la sociedad en que vivamos y hasta para ingresar en ese recinto privilegiado del panteón de la fama—, cuyos méritos habrán de pesar a nuestro favor en la balanza de lo eterno, máxime cuando se ha luchado "a lo divino". (Todo el libro de *La vida de Don Quijote y Sancho* está penetrado de este contenido).

---

[2] *Ensayos*, I, pág. 947.

II. EL YO SOCIAL

EL yo social, cuya esencia es la convivencia con el prójimo, tiene suprema importancia en lo tocante a los problemas del Otro y la identidad y la continuidad históricas. Este yo va regido por una actitud temprana en el pensamiento de Unamuno: "Busca sociedad; pero ten en cuenta que sólo lo que de la sociedad recibas será la sociedad en ti y para ti, como sólo lo que a ella des serás tú en la sociedad y para ella" [3]. Que se traduce en la fórmula que ya conocemos de que "yo y el mundo nos hacemos mutuamente". Veamos ahora en qué momento de la trayectoria vital de los múltiples yos aparece el yo social. Siguiendo a Unamuno en sus repetidas referencias a los tres Juanes de O. Wendell Holmes, tenemos:

1) "El que uno es" (conocido sólo para Dios), que viene a ser el que hemos llamado *quid divinum*. La parte de este yo que logre revelarse en el

---

[3] *Ibid.*, pág. 243.

transcurso de la propia existencia y en la coexistencia con el prójimo pasará a integrar la personalidad histórica, "alma" u "obra" que aspira a la sobrevida divina y a la humana.

2) "El que se cree ser". Es el que se da por sentado que se es, el que se ha realizado haciéndose presente y pasado, o el que se cree que se es para Dios, pero que en verdad no coincide en toda su dimensión ni con el yo desconocido que se es para Dios —eterno enigma—, ni con el que se quiere ser —ideal inasequible, futuridad pura—.

3) "El que se quiere ser". La porción de este yo que llegue a realizarse se convierte en "el que se cree ser" y, por lo tanto, en un *factum,* dejando entonces de ser aspiración, cualidad que distingue al querer ser. Como escribe J. Marías, "Unamuno pone la raíz de la vida en la futurición, en la anticipación imaginativa y voluntaria de lo que se quiere ser, en el proyecto vital. Y distingue este hombre que se quiere radicalmente ser del que de hecho se es, del que llega a realizarse... mi radical proyecto vital, el que estoy llamado a ser por mi vocación íntima, es la instancia desde la cual puedo juzgar el que llego a ser efectivamente, el yo que en el mundo y con él se realiza" [4].

4) "El que los otros creen que uno es". La intención que guía al prójimo en este caso se puede calificar de sana, pues desea respetar la personalidad del individuo en cuestión. La distorsión que este yo supone, sin embargo, obedece al carácter intrinsecamente distinto que va siempre aneja al

---

[4] *Op. cit.,* pág. 209.

hecho de ser Otro. Ahora bien, tal distorsión arrastra consigo un peligro, el del mito, "el reflejado en ese espejo de múltiples facetas, que es la sociedad que nos mira y cree conocernos" [5]. El peligro de que el Otro no nos conozca lo suficiente y, no obstante, actúe y opine como si nos conociera a fondo.

5) "El que los otros quieren que uno sea". Este yo va regido por una intención diferente de la del anterior; no sólo no desea respetar la personalidad ajena, sino que procura y busca imponerle al sujeto un yo distinto. (Un buen ejemplo lo tenemos en el cuento de *La locura del doctor Montarco,* en que el protagonista, víctima de la incomprensión obstinada de la sociedad, pierde el juicio). Sin embargo, desde el punto de vista del individuo concreto las consecuencias y los riesgos que estos dos últimos yos le reportan se cifran en lo mismo: el papel que se le impone desde fuera [6]. Por lo que se entra otra vez de lleno en el problema de la individualidad y la personalidad, en la decisión de contradecir el mito ajeno o en la de contradecirse a sí mismo.

---

[5] *O. C.,* X, pág. 1016.

[6] Cf. Prólogo a *Tres novelas ejemplares.*

III. EL YO LEYENDA

EL yo leyenda resume con el yo social la esencia de la personalidad histórica, y se funda en la teoría unamuniana de la realidad de ficción del ser humano, semejante a la de los entes de ficción o personajes de novela. Tal visión se inspira en tres metáforas clásicas: la de la vida es sueño calderoniana, la shakespeariana de que todo es sueño, y la también calderoniana del mundo como teatro en que el hombre representa un papel asignado por el divino empresario. La realidad de ficción tal y como la entiende Unamuno ha sido ya estudiada [7], por lo que aquí nos limitaremos a destacar los rasgos que conduzcan más directamente a la identificación del yo leyenda.

En la "Historia de *Niebla*", que figura al frente de la edición de 1935, Unamuno alude una vez más a su vieja teoría: "¿Ente de ficción? ¿Ente de realidad? De realidad de ficción, que es ficción de reali-

---

[7] Cf. los libros de J. Marías, pág. 35, F. Meyer, págs. 72-75 y A. Zubizarreta, *Unamuno en su "nivola"*. También *La Torre*, julio-diciembre, 1961, pág. 585.

dad". Y más adelante concluye que espera realizarse, inmortalizarse, ante todo en ese mundo de sus personajes de ficción, ya que le son más reales que los del mundo histórico que le tocó vivir. Por otra parte, al hablar de la conducta, tuvimos ocasión de notar que el yo leyenda tiene su origen en el substrato intravital que, al manifestarse en la conciencia histórica, busca realizarse.

Parece ser que no es hasta allá por los años veinte cuando Unamuno —poniendo en escena su yo político y padeciendo una nueva crisis de la "obra", tan bien estudiada por A. Zubizarreta— llega a la identificación definitiva del yo leyenda y el yo real: "Y como no hay nada más que comedia y novela... que el nóumeno inventado por Kant es de lo más fenomenal que puede darse y la sustancia lo que hay de más formal. El fondo de una cosa es superficie" [8]. Y en su *Ultima lección,* al jubilarse en 1934, declarará como rectificación que "la intrahistoria es la historia misma, su entraña".

Al proclamar Unamuno que el fondo de una cosa es superficie, confirma su convicción de que el fondo es inconocible por entero y que sólo tenemos conciencia de dicho fondo por lo que se percibe en la introspección y la conducta. Todo lo cual coincide con el camino que hemos venido siguiendo hasta aquí. La esencia de lo que constituye la personalidad histórica, lo eterno de ella, su "entraña", es intrahistoria; con lo que la superficie, lo aparencial, en lo que contiene de valor supremo y permanente, es uno y lo mismo con su fondo y lo nu-

---

[8] *O. C.,* X, pág. 893.

ménico lo aparencial o fenomenal. El yo leyenda arrastra consigo una sustancia eterna que le refiere simultáneamente a un fondo intrahistórico y a una superficie histórica. Y es esa sustancia precisamente la que garantiza la perduración en esta vida y en la otra. (El problema de Unamuno será el de tener la certeza de que su personalidad histórica lleva un contenido suficiente de lo eterno).

IV. YO AUTOR - ACTOR Y CO - AUTOR CON EL PROJIMO

UNAMUNO, que toma los términos "autor" y "actor" en su sentido etimológico, considera que son equivalentes, o si no, que se implican mutuamente. Todo autor es actor y por lo tanto creador —existir es obrar—, y todo autor-actor representa un papel en el teatro de la vida —actuar es representar—. Al mismo tiempo, el autor es co-autor de su obra con el prójimo: "Y yo quiero contarte, lector, cómo se hace una novela, cómo haces y has de hacer tú mismo tu propia novela. El hombre de dentro, el intrahombre cuando se hace lector, contemplador, si es viviente, ha de hacerse lector, contemplador del personaje a quien va, a la vez que leyendo, haciendo, creando; contemplador de su propia obra. El hombre de dentro, el intrahombre —y éste es más divino que el tras-hombre o sobrehombre nietzscheano— cuando se hace lector hácese por lo mismo autor, o sea actor; cuando lee una novela se hace novelista, cuando lee historia, historiador. Y todo lector que sea hombre de dentro, humano, es lector, autor de lo que lee y está leyendo. Esto que lees aquí, lector, te lo estás diciendo tú a ti mismo y es tan tuyo como mío"[9].

Si el autor crea un poco al lector —pues le hace ver y conocer rincones ignotos de sí mismo, a la vez que le hace indentificarse con los personajes de la novela, añadiendo así nuevas facetas a su personalidad—, el autor también se enriquece con las aportaciones del lector. Cada lector es un Otro al que trasciende mi yo, uno más que tiene conciencia de mi existencia y de mi obra que, al leer, añade criterios suyos a mi personalidad, con lo que ésta puede crecer indefinidamente. Y junto a los lectores los que han oído de mí sin leerme y los que me conocen en persona. Y tal crecimiento de mi personalidad no se agota con la muerte, sino que continúa de modo perenne mientras haya quien me lea o me recuerde. (Ya sabemos que la mayor amenaza para el yo que se sueña inmortal es el olvido). Las siguientes palabras de F. Meyer, lo expresan con gran claridad: "...el sueño que constituye mi ser se enfrenta con otros sueños... Pero esos otros seres, que también son sueños, me sueñan a su vez... de modo que mi *personaje* constantemente se modi-

---

[9] *Ibid.*, pág. 907.

Sobre el "creacionismo" de Unamuno, véase el libro ya citado de P. Laín Entralgo, *Teoría y realidad del Otro,* págs. 145-56. Con relación al autor co-creador, R. Gullón, *Autobiografías de Unamuno,* Madrid, Gredos, 1964, páginas 90 y 254. Para los aspectos de persona-máscara y el desdoblamiento, J. L. Aranguren, "Personalidad y religiosidad de Unamuno", en *La Torre,* julio-diciembre, 1961, págs. 239-49.

fica, se constituye, se hace o se deshace... Y esta mutua creación, esta mutua ficción, se prosigue más allá de la vida misma; mi sueño, después de mi muerte, prosigue su metamorfosis... Y esto seguirá así mientras perdure mi recuerdo... y el de aquellos a quienes mi sueño ha contribuido a formar..." [10].

De ahí que para inmortalizarse y enriquecer su personalidad Unamuno busque hacerse lectores e identificarse por la co-creación con ellos: "Y sólo haciéndose uno el novelador y el lector de la novela se salvan ambos de su soledad radical. En cuanto se hacen uno se actualizan y actualizándose se eternizan"[11]. La necesidad imprescindible del Otro es una constante del pensamiento unamuniano, como se ve, pero el yo leyenda, al igual que todos los yos, se muere un poco al entregarse: "He aquí que hago la leyenda en que he de enterrarme" [12]; teniendo el verbo enterrar el doble sentido de morir —matarse— y el de salvarse e inmortalizarse en los

---

[10] *Op. cit.*, págs. 72-75.
[11] *O. C.*, X, pág. 922.
[12] *Ibid.*, pág. 865.
Esta otra cita de Unamuno amplía el tema: "Eso que se llama en literatura producción es un consumo, o más preciso: una consunción. El que pone por escrito sus pensamientos, sus ensueños, sus sentimientos, los va consumiendo, los va matando. En cuanto un pensamiento nuestro queda fijado por la escritura, expresado, cristalizado, queda ya muerto, y no es más nuestro que será un día bajo tierra nuestro esqueleto... y la literatura no es más que muerte. Muerte de que otros pueden tomar vida. Porque el que lee una novela puede vivirla, revivirla, y quien dice una novela dice una historia —y el que lee un poema, una criatura... puede re-crearlo—" *(O. C.,* X, página 829).

demás, en esa personalidad que se co-crea con ellos. Es decir, que para salvar el alma hay que perderla, darse a la sociedad para perdurar en ella.

En cuanto a la metáfora del mundo como teatro y el hombre un actor que representa un personaje, aparece bien explícita en el prólogo-epílogo del drama *El hermano Juan* (1934). "Y entonces me di cuenta, escribe Unamuno, de que la verdadera escenificación, realización histórica, del personaje de ficción estriba en que el actor, el que representa al personaje, afirme que él y con él el teatro todo es ficción y es ficción todo, todo teatro, y lo son los espectadores mismos". Apoyándose en esta visión de la realidad, Unamuno opondrá, frente a la doble interpretación materialista de la historia —la del hambre (Marx), y la de la "líbido" (Freud)— una concepción histórica de la materia: la de la personalidad, o sea, la representación, que no es ni la necesidad física de reproducirse ni la de conservarse, "sino la necesidad psíquica, espiritual, de representarse y con ello de eternizarse, de vivir en el teatro que es la historia de la humanidad". Por eso Unamuno acepta el calificativo de "hipócrita" solamente en su sentido etimológico, pues sabe que significa "actor".

"Y he aquí por qué no puedo mirarme un rato al espejo, porque al punto se me van los ojos tras de mis ojos, tras su retrato y desde que miro a mi mirada me siento vaciarme de mí mismo, perder mi historia, mi leyenda, mi novela, volver a la inconciencia, al pasado, a la nada"[13]. Vemos aquí el

---

[13] *Ibid.*, págs. 864-65.

nuevo sentido que adquiere el Otro del espejo. Es el símbolo de la nada que amenaza con la aniquilación del yo leyenda cuando la duda y el pesimismo de los momentos de crisis hacen desconfiar de la "obra"; el temor de perderse en el olvido, la incertidumbre del valor de la personalidad realizada.

SAN MANUEL BUENO, MARTIR

Sufro yo a tu costa,
Dios no existente, pues si Tú existieras
existiría yo también de veras.
(Unamuno, "La oración del ateo", 1911)

I. EL SIMBOLISMO DEL PAISAJE[1]

UNA de las más grandes creaciones de Unamuno es, sin duda, su novela corta *San Manuel Bueno, mártir,* en la que el gran poeta e ilustre pensador vierte una vez más su arrolladora personalidad. La crítica la ha ensalzado unánimemente y ha visto en ella, no sólo los aspectos que reflejan la postura tradicional del autor —acaso la culminación—, como Julián Marías, que la considera "la más entrañable y honda novela de Unamuno" y "al mismo tiempo, la más suya, aquella en que Unamuno alcanza la mayor fidelidad a sí mismo, a su propósito de penetrar en la realidad de la vida y la personalidad humana"[2], sino que también se

---

[1] El estudio que comprende este capítulo, que ahora ofrezco revisado, apareció con el título de "Más sobre *San Manuel Bueno, mártir*" en la *Revista Hispánica Moderna,* New York, Columbia University, año XXIX, julio-octubre, 1963, págs. 252-262.

[2] *Op. cit.,* pág. 136.

El interesado en las fuentes que le hayan podido servir de inspiración a Unamuno para esta novela, puede consul-

ha visto la existencia de un cambio de actitud en Unamuno, como Sánchez Barbudo, quien afirma que "la actitud característica de Unamuno, hasta *San Manuel*..., fue la otra, la del sembrador de inquietudes, enemigo de la fe del carbonero" [3]. Mi propósito va a ser sencillamente el de unir mi esfuerzo al de los que me han precedido en la tarea e intentar un mayor esclarecimiento de los valores que el libro posee, comenzando por un análisis minucioso de la riqueza simbólica del paisaje; simbolismo que, sin ser difícil y rebuscado, lo abarca todo.

Sabido es que el escenario que escoge Unamuno para su última novela es real. En el prólogo a la edición de 1932, dice: "Escenario hay en *San Manuel Bueno, mártir* sugerido por el maravilloso y tan sugestivo lago de San Martín de Castañeda, en Sanabria, al pie de las ruinas de un convento de bernardos y donde vive la leyenda de una ciudad, Valverde de Lucerna, que yace en el fondo de las aguas..." Lago de la provincia de Zamora, rayando con Galicia, que Unamuno vio por primera vez el día primero de junio de 1930, y que le inspiró,

---

tar el estudio de John V. Falconieri, "The Sources of Unamuno's San Manuel Bueno, mártir", en *Romance Notes,* vol. V, Autum, 1963, núm. 1, págs. 18-22.

En cuanto al estilo y la técnica novelística véanse Carlos Blanco Aguinaga, "Sobre la complejidad de San Manuel Bueno, mártir, novela", en *NRFH,* tomo XV, 1961; Francisco Ayala, "El arte de novelar en Unamuno", en *La Torre,* núms. 35-36, julio-diciembre, 1961; Eleazar Huerta, "San Manuel Bueno, novela legendaria", en *Atenea,* Universidad de Concepción, Chile, octubre-diciembre, 1964.

[3] *Op. cit.,* pág. 153.

además del *San Manuel...*, unas poesías rememoradoras [4].

P. Laín Entralgo, con su habitual perspicacia y solidez investigadora, nos ha dejado unas páginas magníficas sobre la visión unamuniana del paisaje. En primer lugar, a través del prisma de la historia: "Esta emoción ¿brota directamente de la tierra, como brotan de ella el color de la roca o la húmeda frescura del arroyo? No se trata de un sentimiento infundido en el alma del hombre por la naturaleza, a través de los ojos y de la sangre. Quédese esto para otros paisajes y otros hombres. Trátase de un sentimiento personal e histórico proyectado desde el espíritu sobre la tierra circunstante. La historia, una personal visión de la historia y de la vida de España, se interpone entre el ojo y la superficie del paisaje". En segundo lugar, como "paisaje del alma", según la conocida expresión de Unamuno: "La tierra determina al hombre y es determinada por él, en comunidad estrecha de vida... Y es también lienzo desnudo sobre el que proyecta el con-

---

[4] Cf. Manuel García Blanco, *Don Miguel de Unamuno y sus poesías*, Salamanca, Universidad, 1954, páginas 344-46.

El nombre de "Lucerna" tiene sin duda que ver con lo que Unamuno explica en el prólogo sobre la "luciérnaga". Dice así: "En uno de mis escritos periódicos le llamé la santita holandesa (Santa Lidwine de Schiedam) almita de luciérnaga. De luciérnaga y no de estrella... Y es que la luciérnaga es luz más divina que la del Sol y la de cualquiera estrella. Pues en ser viviente como es la luciérnaga, creemos que su lucecita, perdida entre yerba, sirve al amor, al tiro de la pareja, tiene un para qué vital, mientras que la del Sol..."

templador sus propios sentimientos y emociones, para verlos luego como cosa objetiva, ajena casi a su alma; y así puede ser un pino triste o alegre, y anhelante o reposado un álamo solitario en la llanura"[5].

Es la segunda visión la que nos interesa en este caso, la visión del paisaje como proyección de los estados de conciencia y del yo íntimo del sujeto que lo contempla —visión transportada ahora a ese ente de ficción que es el cura párroco del Valverde de Lucerna—. Para mejor comprender el alcance de tal visión, es preciso tener presente el dolorismo y la compasión cósmicas que caracterizan el pensamiento de Unamuno y le llevan a personalizar, concientizar, el universo entero. Al pasar a analizar seguidamente el simbolismo del paisaje, notaremos que éste se nos aparecerá con una doble faz: por un lado, como elemento de la Naturaleza en sí, pero por otro, envuelto en esa peculiarísima visión unamuniana que hemos visto arriba.

---

[5] *La generación del 98,* págs. 20 y 196.

II. LA MONTAÑA

La montaña y el pueblo

LA montaña es símbolo de la fe del pueblo: "...recitábamos al unísono, en una sola voz, el Credo... Y no era un coro, sino una sola voz, una voz simple y unida, fundidas todas en una y haciendo como una montaña, cuya cumbre, perdida a las veces en nubes, era Don Manuel". El rezo unánime del pueblo forma metafóricamente una montaña, que lo es de fe por su tamaño, robustez y sentido, cuyo sostén y mantenedor es Don Manuel. Rezo y montaña de fe que apuntan hacia lo alto, hacia el cielo, manifestando las aspiraciones eternas de los fieles, como indica el párroco poco antes de morir: "Vivid en paz y contentos y esperando que todos nos veamos un día, en la Valverde de Lucerna que hay allí, entre las estrellas de la noche que se reflejan en el lago, sobre la montaña".

La montaña y Don Manuel

La montaña simboliza igualmente la labor personal de Don Manuel en el pueblo, al preservar y predicar la fe: "Cree en el cielo, en el cielo que vemos. Míralo —y me lo mostraba sobre la montaña y abajo, reflejado en el lago"; "porque él no quería ser sino de su Valverde de Lucerna, de su aldea perdida como un broche entre el Lago y la montaña que se mira en él". Hay que creer en ese cielo que señala la cumbre de la montaña y al que se asciende por la fe. Al constituirse en broche entre el lago y la montaña, el párroco no hace sino servir de puente entre el pueblo y la eternidad —ya veremos que el lago es símbolo de ésta—. Al fomentar la fe Don Manuel fomenta el sueño, la ilusión, la posibilidad de la existencia de una vida eterna, de la cual él se instituye en broche y camino; de ahí que se diga que "Los más no querían morirse sino cogidos de su mano como de un ancla".

La montaña, en cuanto símbolo de la fe del pueblo, sirve de contraste para resaltar la fe de duda del párroco, distinta de la fe del carbonero que poseen sus feligreses: "Su canto, saliendo del templo, iba a quedarse dormido sobre el lago y al pie de la montaña". Si la fe del pueblo se remonta hacia lo alto como la montaña en busca de la eternidad, la fe de Don Manuel se queda estancada al pie de la montaña, incapaz de proseguir más arriba. Su fe, pues, es de otro tipo que la de su pueblo. A su fe le falta la motivación necesaria y el impulso inicial pra esforzarse en alcanzar el infinito; de ahí que contemple con ojos de nostalgia y soledad la ascensión casi vertical de sus discípulos, poseedores de una fe que él mismo les ha imbuido, pero que a él se le escapa. Para comprender el estado de ánimo de Don Manuel —y para hacernos cargo del cambio de actitud de Unamuno en esta novela—, conviene que refresquemos la memoria con la definición unamuniana de la fe del carbonero: "Sí, no puedo oír en calma lo de la fe implícita; nada encuentro más repulsivo que elogiar la fe del carbonero, la del que, bajo palabra ajena, dice creer en lo que cuenta tal libro sin haberlo leído..."[6]. No hay duda de que en la novela el párroco —a quien podemos identificar con Unamuno en este caso— añora para sí esa fe que él no puede sentir, pero que, en cambio, y esto es trágicamente irónico, puede fomentar en los demás. Esa nostalgia de Don Manuel la iremos viendo poco a poco más gráficamente. Y es que la montaña, la fe del pueblo, es una de las metas de las aspiraciones del párroco, quien desea contagiarse de esa misma fe del carbonero y que, si se siente maniatado al pie de la montaña e incapaz de iniciar la subida, se pone en actitud de ruego y de anhelo, voz que clama a la montaña y a la fe del pueblo, fe que él tanto se esfuerza por conservar con la esperanza de obtener una recompensa en retorno.

La montaña como parte de la Naturaleza

En este sentido la montaña simboliza la eternidad de la Naturaleza: "Y dile que encontrará el lago y la montaña como los dejó". Idea antigua y clásica, pero que aquí se halla teñida de los dramáticos colores que nutren el alma de Don Manuel. Este tipo de eternidad contrasta significativamente

---

[6] *Ensayos,* I, pág. 641.

con la otra divina que ansía el párroco, pero viene también a destacar trágica y sarcásticamente el destino y el vivir limitados del hombre concreto: aun la Naturaleza aventaja a éste en eternidad.

La montaña, en cuanto elemento natural, disfruta no sólo de eternidad —ya veremos hasta qué punto es ello posible—, sino también de una existencia infinitamente más plácida que la del hombre, pues su devenir se encuentra fuera de la historia: "Mira, parece como si se hubiera acabado el tiempo, como si esa zagala hubiese estado ahí siempre, y como está, y cantando como está, y como si hubiera de seguir estando así siempre, como estuvo cuando empezó mi conciencia, como estará cuando se me acabe. Esa zagala forma parte, con las rosas, las nubes, los árboles, las aguas, de la Naturaleza y no de la Historia". La eternidad que Unamuno atribuye a la Historia es la que corresponde al género humano —como en la teoría platónica de los universales, el individuo desaparece, pero la especie es eterna—: "El que se hace un alma, el que deja una obra, vive en ella y con ella en los demás hombres, en la Humanidad, tanto cuanto ésta viva. Es vivir en la Historia"[7]. Pero una eternidad semejante se torna caduca ante la otra que le brinda al hombre la promesa divina: "Porque la Historia, que es el pensamiento de Dios en la tierra de los hombres, carece de última finalidad humana, camina al olvido, a la inconsciencia"[8]. De ahí que la eternidad en la Historia, la fama, sea un pobre susti-

---

[7] *Ibid.*, pág. 960.
[8] *Ibid.*, pág. 948.

tuto: "Cuando las dudas nos invaden y nublan la fe en la inmortalidad del alma, cobra brío y doloroso empuje el ansia de perpetuar el nombre y la fama, de alcanzar una sombra de inmortalidad siquiera" [9]. Por otra parte, la vida humana es drama: "...como que la vida es tragedia, y la tragedia es perpetua lucha, sin victoria ni esperanza de ella; es contradicción" [10]. Sobre todo para el cristiano: "Agonía quiere decir lucha. Agoniza el que vive luchando, luchando contra la vida misma. Y contra la muerte... Lo que voy a exponer aquí, lector, es mi agonía, mi lucha por el cristianismo, la agonía del cristianismo en mí, su muerte y su resurrección en cada momento de mi vida íntima" [11].

Después de esta pequeña digresión podemos volver a nuestro estudio de la montaña como elemento natural. Al declarar Don Manuel que la zagala forma parte de la Naturaleza y no de la Historia, la razón es ahora obvia. La Historia es tragedia y agonía, como la vida humana, mientras que la Naturaleza es placidez libre de cuitas, que parece incluso detener el correr del tiempo cuando el hombre la contempla. Mirando a la zagala el párroco ansía con todas las veras del alma esa placidez que contrasta dramáticamente con su íntima vida agónica; vida que se le ofrece eterna "de unos pocos años" tan sólo. La Humanidad en cuanto especie posee una eternidad, aunque trágica, similar a la de la Naturaleza, pues se repite en los indivi-

---

[9] *Del sentimiento trágico,* III.
[10] *Ibid.,* pág. 19.
[11] *Ensayos,* I, pág. 946.

duos indefinidamente. Pero el hombre concreto de carne y hueso Don Manuel, el individuo de la especie, tiene conciencia diaria de la sentencia calderoniana de que "el pecado mayor del hombre es el haber nacido". Ya veremos cómo el párroco, huyendo de la soledad de su destino individual, se "zambulle" en el pueblo, tratando de hacer la salvación colectiva, puesto que la culpa también lo es.

La montaña personalizada y concientizada

En este sentido la montaña tiene alma: "Y él me enseñó a vivir, él nos enseñó a vivir, a sentir la vida, a sentir el sentido de la vida, a sumergirnos en el alma de la montaña...". Alma eterna y plácida en cuanto es alma de la Naturaleza, pero alma trágica y angustiada en cuanto proyección del yo íntimo de Don Manuel. Poseedora de alma la montaña anhela la eternidad hija de la promesa cristiana: "...porque él no quería ser sino de su Valverde de Lucerna, de su aldea perdida como un broche entre el lago y la montaña que se mira en él..." En el lago —símbolo de la eternidad, según veremos— se mira el párroco soñando eternidad, e igual la sueña la montaña.

Pero la montaña sufrirá el mismo destino que el hombre —su eternidad será también caduca— si sólo en esta vida esperamos en Cristo: "Habré de rezar también por el lago y por la montaña?", se pregunta Angela cuando Don Manuel, ya en trance de muerte, le pide que rece también por Nuestro Señor Jesucristo. La cita de San Pablo que Unamuno coloca al comienzo de la novela es muy significativa; como lo es igualmente esta otra, más explícita aún: "Si Cristo no resucitó de entre los muertos, somos los más miserables de los hombres —dijo San Pablo—"[12]. Es decir, que si Cristo no fue Dios, si Cristo no es la piedra angular de nuestra fe y de nuestras ansias de eternidad, si Cristo murió y su existencia tiene solamente un valor histórico, entonces no hay esperanza ni para el género humano ni para el universo entero, pues todo morirá, y Angela habrá de rezar por los hombres, por Cristo y por la montaña.

Pero si eso ocurriera, al menos la montaña y quienes se cobijaron en la divina novela de las Escrituras, bajo la ilusión y el ensueño, fuera de la Historia, gozarán de una existencia plácida y feliz, libre de la duda, la agonía y la desesperación: "...más espero que sea porque en ello todo se queda, como se quedan los lagos y las montañas y las santas almas sencillas, asentadas más allá de la fe y la desesperación, que en ellos, en los lagos y las montañas, fuera de la historia, en divina novela, se cobijaron".

---

[12] *Ibid.*, pág. 957.

cierzo m. Viento del Norte, que se inclina más o menos a Levante o a Poniente, según la región en que sopla.

III. EL CIERZO

EL cierzo es el símbolo de la duda que atosiga el alma de Don Manuel: "Y cuando en el sermón de Viernes Santo clamaba aquello de: —¡Dios mío, Dios mío!, ¿por qué me has abandonado?—, pasaba por el pueblo todo un temblor hondo como por sobre las aguas del lago en días de cierzo de hostigo". La exclamación evangélica es la máxima expresión del drama interno del párroco, de su angustia y su desesperación; y la agitación que provoca el cierzo al invadir el lago es semejante a la convulsión íntima que experimenta Don Manuel al acusar el hostigo de la duda, que niega, no sólo la posibilidad de la existencia de una vida eterna y de la resurrección de la carne, sino también su logro. Pues si el lago simboliza la eternidad de la cual es espejo, la brisa que baja de la montaña en forma de cierzo a destruir la placidez de las aguas del lago, su paz natural y apariencia de eternidad, es el paralelo de la duda que invade y destruye la paz del alma del párroco. La compenetración del pueblo con su pastor es tan profunda y completa que siente al unísono con él, y experimenta un "temblor hondo" que brota de un presentimiento que adivina el drama de Don Manuel, por lo demás imperceptible para el pueblo de otro modo. (Recuérdese la idea unamuniana de que el grito que sale de las entrañas es el que revela el verdadero ser de la persona) [13].

[13] Cf. Prólogo a *Tres novelas ejemplares,* pág. 20.

IV. EL LAGO

El lago y el pueblo

El lago es símbolo de la eternidad por espejar el cielo que en él se refleja: "Cree en el cielo, en el cielo que vemos. Míralo —y me lo mostraba sobre la montaña y abajo—, reflejado en el lago". Y simboliza asimismo la unión de las dos vidas, la eterna y la terrena, que por el sentido que tiene el lago se comunican. La contemplación de las aguas del lago despierta en las almas el sentimiento y el anhelo de la paz eterna: "Y cómo me llama esa agua con su aparente quietud... espeja al cielo".

El lago, al servir de piscina probática para el pueblo, es también símbolo de la fe de éste: "En la noche de San Juan suelen acudir a nuestro lago todas las pobres mujerucas y no pocos hombrecillos, que se creen poseídos, endemoniados y que parece no son sino histéricos y a la vez epilépticos..." En el lago ha hallado el pueblo tradicionalmente propiedades curativas y a él acude movido por la fe en la curación. Este pasaje posee claras remembranzas bíblicas: "Hay en Jerusalén, en la puerta dicha de las ovejas, una piscina llamada en hebreo Betsaida, la cual tiene cinco pórticos. En ellos, pues, yacía una gran muchedumbre de enfermos, ciegos, cojos, paralíticos, aguardando el movimiento de las aguas. Pues un ángel del Señor descendía de tiempo en tiempo a la piscina y agitaba el agua. Y el primero que después de movida el agua entraba en la piscina, quedaba sano de cualquiera enfermedad que tuviese" (San Juan, 5, 1-4). Ya veremos el significado que esto adquiere en conexión con Don Manuel.

A su vez, el lago simboliza el pueblo de Valverde de Lucerna al convertirse éste en piscina probática para el párroco: "...la voz de Don Manuel, se zambullía, como en un lago, en la del pueblo todo, y era que él se callaba". En el pueblo, en cuanto lago probático, busca Don Manuel su cura.

El lago y Don Manuel

El lago simboliza el anhelo de eternidad del párroco, sus ojos espejan el cielo como las aguas del lago: "...y había en sus ojos toda la hondura azul de nuestro lago..." Imagen que no es nada forzada si recordamos las siguientes palabras de Unamuno: "Como en su retina, vive en el alma del hombre el paisaje que le rodea"[14]. La pupila azul

---

[14] Cf. Laín Entralgo, *Op. cit.,* pág. 196.
Para la función simbólica del agua en la obra de Unamuno y la importancia del lago —con aspectos distintos a los nuestros—, véase Blanco Aguinaga, *El Unamuno contemplativo,* VII.

de Don Manuel sueña eternidad como la sueñan las azules aguas del lago. El lago le crea no sólo la noción de eternidad, sino también la posibilidad de su existencia.

La sobrehaz rizada del lago, causada por la brisa que baja de la montaña, simboliza el sacudimiento espiritual que acusa Don Manuel al ser hostigado por la duda, según queda dicho al hablar del cierzo: "Una noche de plenilunio... volvían a la aldea por la orilla del lago, a cuya sobrehaz rizaba entonces la brisa montañesa, y en el rizo cabrilleaban las razas de la luna llena, y Don Manuel le dijo a Lázaro: —¡Mira, el agua está rezando la letanía y ahora dice: *Ianua caeli, ora pro nobis,* puerta del cielo, ruega por nosotros!" [15].

El lago simboliza asimismo, por un lado, la única fe posible en el párroco y, por otro, la única noción de eternidad que alcanza —la espejada en las aguas del lago—: "Su canto, saliendo del templo, iba a quedarse dormido sobre el lago y al pie de la montaña". Lo que hemos dicho sobre la montaña cabe ahora repetirlo del lago. La fe de Don Manuel no se remonta al cielo como la de sus feligreses, sino que se queda dormida en el lago, la única eternidad de que tiene conciencia directa. Pero su postura no es tanto pasiva como de súplica, de esperanza de que ese lago sea realmente espejo de la eternidad del cielo y no un fatal "espejismo".

---

[15] Esta locución latina de la letanía del Rosario, tiene en Unamuno un estrecho nexo con el culto a la maternidad y el retorno a la niñez (Cf. "La agonía del cristianismo", *Ensayos,* I, pág. 951).

Y si el lago es símbolo de la eternidad, siéndolo la montaña de la fe, y Don Manuel el broche entre el lago y la montaña, Don Manuel es por lo tanto, para su pueblo, el broche entre la fe y la eternidad, el lazo de unión de las dos vidas.

El lago, en cuanto piscina probática, simboliza también la labor de Don Manuel en el pueblo, desde el momento en que se arroga la misión de hacer él de piscina probática, sustituyendo así al lago en su significado tradicional: "...y Don Manuel emprendió la tarea de hacer él de lago, de piscina probática, y tratar de aliviarlos y si era preciso de curarlos. Y era tal la acción de su presencia, de sus miradas, y tal, sobre todo, la dulcísima autoridad de sus palabras y sobre todo de su voz..., que consiguió curaciones sorprendentes". O sea que el párroco no sólo se convierte por voluntad propia en piscina probática, sino que asume el papel del ángel bíblico de la piscina de Betsaida. Y esto fomentando en el pueblo la fe en la eternidad y el ansia de lograrla.

La placidez del lago ejerce el efecto de un lenitivo a quien lo contempla, y por ello el lago es para Don Manuel una constante invitación al suicidio: "¡Y cómo me llama esa agua con su aparente quietud... espeja al cielo! Pero la tentación del suicidio es mayor aquí, junto al remanso que espeja de noche las estrellas..." La calma del lago produce la impresión de que el tiempo se detiene y eso crea una noción, aunque breve, de eternidad; pero para el que vive en angustia permanente convencido de que el haber nacido es un pecado —porque para él la vida es tragedia y lucha sin fin—, el lago supone la eliminación del pecado y del drama y el logro de la paz espiritual tan anhelada. Para ése el lago es una poderosa tentación de suicidio.

Sin embargo, y aunque parezca contradictorio, el lago, por su eterna placidez y, sobre todo, por ser un espejo del cielo, es igualmente un antídoto contra el sucicidio: "¡Mi vida, Lázaro, es una especie de suicidio continuo, un combate contra el suicidio, que es igual..." Y es que el lago posee la doble virtud de invitarnos, por un lado, a que nos aneguemos para siempre en el seno de su eterna quietud y, por otro, la de sugerirnos la posibilidad de una eternidad auténtica, de la que su plácida superficie es solamente un mero espejo. Don Manuel no está convencido de que no exista de veras ese cielo que el lago refleja; y al no estarlo no se atreve a arriesgar su vida eterna quitándose esta, suicidándose. Cabe, no obstante, otro tipo de suicidio cuya motivación va a ser precisamente esa falta de convencimiento, un suicidio que consistirá en quitarse la vida entregándose en cuerpo y alma a su pueblo; obrando, salvando la posibilidad de una vida eterna y suicidándose en aras de ella; perderse como individuo para salvarse como especie, pues si ésta se salva también aquél. Y a la vez consolarse de haber nacido olvidándose de sí mismo en la acción diaria y defenderse así del otro suicidio.

El lago como parte de la Naturaleza

En este sentido el lago simboliza la eternidad propia de la Naturaleza: "...y dile que encontrará el lago y la montaña como los dejó". (Aquí remito al lector a lo que queda dicho sobre la montaña). El lago representa también la vida del campo que Unamuno opone siempre a la de la ciudad: "Aquí se remansa el río en lago, para luego, bajando a la meseta, precipitarse en cascadas, saltos y torrentes por las hoces y encañadas, junto a la ciudad, y así remansa la vida, aquí en la aldea". En la ciudad el tumulto interrumpe el soñar, destruye la ilusión e impide el ensimismamiento, sólo posibles en la soledad del campo. Como dice Laín Entralgo, "El contacto de Unamuno con la ciudad produce inmediatamente en su alma el deseo de huir. Quiere huir de la historia y chapuzarse, como él diría, en la intra-historia; o mejor todavía, en el puro paisaje"[16].

Las aguas del lago simbolizan en otro sentido el destino de la vida humana, la amarga verdad, el correr del tiempo, nuestra "eternidad" terrena de unos pocos años. Como un eco de los versos sentenciosos de Jorge Manrique, Lázaro predice la suerte de las aguas del lago: "... toda la verdad, por amarga que sea, amarga como el mar a que van a parar las aguas de este dulce lago..." (Para evitar la repetición en lo referente a la "personalización y concientización" del lago, remito al lector a lo dicho sobre la montaña, enteramente aplicable también en este caso).

---

[16] *Op. cit.*, pág. 80.

V. LA VILLA SUMERGIDA EN EL LAGO

EN relación con el pueblo, la vida simboliza la fe tradicional de ese pueblo, su intrahistoria y su costumbre. Esa villa feudal y medieval que yace en el fondo del lago y de cuya iglesia se escuchan las campanas en la noche de San Juan, "es el cementerio de las almas de nuestros abuelos, los de esta Valverde de Lucerna". A ella van a parar metafóricamente los que se cobijaron en la divina novela, los que soñaron eternidad. Todos los habitantes de Valverde de Lucerna son herederos de esa fe tradicional, que les permite vivir felices en su rincón manso y les conducirá un día a la otra Valverde de Lucerna ideal y eterna con que sueñan, simbolizada por la villa que se encuentra en el lago.

Hay, pues, dos Valverdes de Lucerna: "la del fondo del lago y la que en su sobrehaz se mira...", que se juntan por el rezo, en la comunión de los santos: "...recitábamos al unísono, en una sola voz, el Credo... Y yo oía las campanas de la villa que se dice aquí que está sumergida en el lago espiritual de nuestro pueblo; oía la voz de nuestros muertos que en nosotros resucitaban en la comunión de los santos". El rezo unido, que es fe en acción, pone en contacto a los vivos con los muertos, en la comunión de los santos, según se explica en el Credo de los Apóstoles. Y es establecer y guardar el contacto con la otra vida, hacer que el nexo no se rompa.

En cuanto a Don Manuel, la villa simboliza igualmente la fe que ha heredado por tradición e intrahistoria y que late en el fondo de su alma, aunque él no se percate de ello, aunque él crea que no cree: "Yo creo... que en el fondo del alma de nuestro Don Manuel hay también sumergida, ahogada, una villa y que alguna vez se oyen sus campanadas". Lo cual pone de manifiesto que en Don Manuel hay fe, una fe hija de la tradición eterna que obra en él en forma de costumbre. Fe que Lázaro percibe; fe que en el pueblo se presenta con mayor nitidez y robustez por carecer de la duda. De ahí que el párroco se zambulla en su pueblo para empaparse de esa fe y robustecer la suya.

clavellina f. Clavel de florecitas sencillas
breviario m Libro que contiene el rezo eclesiástico.

VI. LA CAJA DE NOGAL Y LA CLAVELLINA

LA caja que talló el propio Don Manuel de aquel "nogal matriarcal" —consuelo y refugio— junto al que jugaba de niño, cuando tenía fe, cuando creía y soñaba la vida —al igual que la sueña el pueblo—, es el símbolo del anhelo supremo del párroco de recuperar la fe de la infancia, el símbolo de su obra de apostolado, el objeto de su lucha. El nogal, árbol eterno, símbolo de la eternidad, es donde Don Manuel quiere enterrarse. La clavellina desecada que Lázaro encuentra en el breviario "pegada" a un papel y en éste una cruz con una fecha, es también el símbolo que indica la importancia de aquella fecha en que perdió la fe, ahora desecada.

El tema constante del retorno a la niñez en Unamuno es de sobra conocido y ha sido muy bien estudiado por Blanco Aguinaga, Zubizarreta y otros. El párrafo que sigue, tomado de Sánchez Barbudo, adalid en este sentido, sirve para darnos una idea de la trascendencia que la infancia tiene en la obra unamuniana: "El recuerdo de tales sueños, volvería con frecuencia a Unamuno en los momentos de angustia, durante todas las crisis de su vida y especialmente en la más intensa de ellas, la de 1897, cuando se hundió 'hasta en las devociones más rutinarias, para sugerirse su propia infancia', pues, sedienta el alma hasta la agonía 'escuchaba' ecos dulces de la niñez lejana como rumor de aguas vivas" [17].

Don Manuel busca también refugio último en la infancia, anhelando recuperar una fe que, sin embargo, no logra. (Como en el drama *Soledad,* la conciencia excesivamente despierta del protagonista se interpone. El paraíso perdido de la niñez no se recupera en vida, sino en muerte; y en el caso de Don Manuel aun entonces queda como anhelo, en incógnita). Este es en cierto modo el símbolo de toda la novela, la meta de su lucha agónica; en cuanto procura fomentar la fe en los demás y chapuzarse en ella. ¡Qué paradoja la del párroco! Llegará a ser santo, pero no por aquella fe de niño, sino por la pérdida de ella. (El destino de los grandes dudadores). Otra lección dramática que se desprende de la novela.

---

[17] *Estudios sobre Unamuno y Machado,* pág. 16.

VII. LA NIEVE

LA nieve es símbolo de la vida humana: "¿Has visto, Lázaro, misterio mayor que el de la nieve cayendo en el lago y muriendo en él mientras cubre con su toca la montaña?" Si no me equivoco, creo que esta imagen significa lo siguiente: la nieve cayendo es semejante a los humanos naciendo, viniendo al mundo a lo largo de la historia y naciendo a un drama, al de la vida, pues sólo es para pronto morir en las aguas del lago; es decir, en un elemento superior y más duradero que el propio hombre concreto, elemento que puede ser simbólicamente el lago o Dios como conciencia del universo. Si recordamos la doctrina paulina de la *apocatástasis* —la vuelta de todo a Dios— y de la *anacefaleosis* —la recapitulación de todas las criaturas en Cristo—, que Unamuno trata en *Del sentimiento trágico,* vemos que se puede aplicar armónicamente en este caso. Y entonces el lago sobre el que cae y muere la nieve vendría a ser el símbolo del Cristo-Dios al que vuelven todas las criaturas. Y este parece ser el curso que se sigue en esta novela; aunque por otra parte a Unamuno, su autor, no le hiciera nunca mucha gracia, pues necesitaba preservar su conciencia individual; "un eterno acercarse" sí, pero "sin llegar nunca"[18]. Don Manuel, cura párroco de Valverde de Lucerna, tiene que capitular, pues no ve otra alternativa para lograr la eternidad —si es que existe— que la de sacrificar su conciencia individual a otra más vasta que es la colectiva.

En cambio la nieve que cubre con su toca la montaña no se derrite, no perece con tanta prontitud, sino que disfruta de una mayor duración y menos trágica. Creo que esto contiene el sentido que ya conocemos y es el de las palabras finales del autor: "...los que se refugian en el lago y la montaña más allá de la Historia..." Es decir, se trata de nuevo de la vida feliz que la divina novela de las Escrituras ofrece a quienes en ella se cobijan, con el doble sentido de placidez de Naturaleza y ensueño e ilusión.

Por otro lado la nieve es también símbolo del olvido; recuérdense los versos de Unamuno:

La nevada es silenciosa
....
la nevada no hace ruido;
cae como cae el olvido...[19]

Y es símbolo del tiempo en contraste con la eternidad: "Y al escribir esto ahora... a mis más de

---

[18] *Del sentimiento trágico, X.*
[19] "Rimas de dentro", *O. C.*, XIII, pág. 874.

cincuenta años, cuando empiezan a blanquear con mi cabeza mis recuerdos, está nevando, nevando sobre el lago, nevando sobre la montaña, nevando sobre las memorias de mi padre, el forastero; de mi madre, de mi hermano Lázaro, de mi pueblo, de mi San Manuel, y también sobre la memoria de mi pobre Blasillo... Y esta nieve borra esquinas y borra sombras, pues hasta de noche la nieve alumbra". Los efectos que produce la nieve al caer, además del olvido, son los mismos que solemos atribuir al transcurso del tiempo, que todo lo borra, que todo pasa. En este sentido y teniendo en cuenta la concepción unamuniana del tiempo —"el tiempo es la forma de la eternidad" [20]—, vemos que lo que pasa y muere son las formas, las formas que la eternidad va adquiriendo a lo largo de su infinitud, entre las cuales se encuentran incluidos el lago y la montaña, tanto como el hombre y su historia. Y ese borrar de esquinas y de sombras es convertir lo temporal en eterno, sensación que nos va comunicando el autor paulatinamente.

Finalmente la nieve simboliza igualmente un eterno retorno —sin pensar precisamente en Nietzsche— que debemos atribuir a una causa poderosa e invisible: la costumbre. Me baso nuevamente en afirmaciones de Unamuno: "...las horas son lo eterno —o sea, lo que vuelve como vuelven las olas de la mar, y los vencejos y las golondrinas, y las flores y las nieves—, y los siglos, lo pasajero. Los siglos son la historia, y las olas son la costumbre" [21]. Las for-

---

[20] *Ensayos,* I, pág. 39.
[21] *O. C.,* XIV, pág. 16.

mas que vimos anteriormente que pasaban adquieren ahora un significado y un valor especiales, una eternidad peculiarmente suya que podríamos cifrar del modo siguiente: las formas, aunque pasajeras, tienen un consuelo que es el de estar ligadas a un ente eterno que es la costumbre. La nieve, que hasta de noche alumbra, que todo lo cubre con su manto del olvido, vuelve una y otra vez, indefinidamente, a su tarea de borrar formas, y éstas a manifestarse por voluntad de la costumbre. O sea, que habrá formas mientras haya costumbre.

Tal es la lección que se desprende de todo esto. En esta última novela de Unamuno la constante parece ser que el individuo se salva como forma en la costumbre, como ente biológico en la especie, como ser social en la sociedad y como cristiano en la anacefaleosis paulina.

PRESENCIA DE LA BIBLIA

I

TODO lector de esta novelita nota en seguida la presencia del mundo bíblico en ella. El ambiente en que transcurre la cotidianeidad de los habitantes de Valverde de Lucerna es una evocación de aquellos años en que Cristo vivió y predicó a orillas del Mar de Galilea. Mundo y paisaje de sentida emoción bíblica en que el pueblo sabe que "Dios está entre nosotros" (De ahí el nombre simbólico del párroco: Manuel-Inmanuel). Pero además de ese clima paradisíaco, se observa en toda la novela un paralelo constante entre los personajes principales y las figuras señeras, o significativas en ciertos casos, del Antiguo y Nuevo Testamento. En Don Manuel se funden Moisés y Cristo; en Lázaro, Josué y Lázaro el de Betania; y Angela, por su parte, es a la vez Angel Custodio, que no tiene por qué ser exacto, sino más bien sugerido —a Unamuno le atrae el Cristo agonizante por ser el que refleja su propio sentimiento trágico de la vida; de ahí que la vida del párroco sea una continua Semana de Pasión—, como asimismo el paralelo con Lázaro el de Betania y el sentido e importancia de Angela, ha sido ya notado por la crítica [1]; pero creo que debemos destacar con igual trascendencia la presencia —ya sea por mención directa, ya por alusión— sobre todo de Moisés y también la de Josué.

Unamuno encarna en su Don Manuel la misión del más grande profeta del Antiguo Testamento y, como ha hecho repetidas veces en otros escritos, el Moisés que le atrae es: el caudillo que conduce a su pueblo por el desierto; el que duda en el episodio del milagro de las aguas de Meriba; el que le ve la cara a Dios; el que no entra en la tierra de promisión y cuya sepultura se desconoce. En el modo unamuniano de enfocar todos estos datos se percibe un continuo dualismo. El párroco de Valverde de Lucerna es el caudillo que conduce a su pueblo por el desierto de esta vida en busca de la tierra de promisión que es la eternidad; vive por y para el pueblo, pero mientras que Moisés sigue a rajatabla el mandato de Dios con quien trata cara a cara, en las acciones de Don Manuel se nota un doble sentido. Por un lado, si tenemos en cuenta las palabras finales de la novela sobre los designios inescrutables de Dios, parece que el párroco está obedeciendo de un modo espontáneo e inconsciente el mandato divino; pero por otro, busca el apoyo del pueblo que acaudilla, como si en el fondo dudara

---

[1] Cf. Sánchez Barbudo, *Op. cit.*, págs. 159 y 172; R. Gullón, *Op. cit.*, págs. 342-349, y el interesante estudio de John V. Falconieri, "San Manuel Bueno, mártir. Spiritual Autobiography: A Study in Imagery", en *Symposium*, Summer, 1964, vol. XVIII, number 2 (Syracuse University, New York State), págs. 128-141.

de aquellos designios y de una segura recompensa divina. Igualmente, si a Moisés se le prohibe entrar en la tierra prometida, el párroco, en cambio, confía en que el pueblo, saltando por encima del precepto divino, le meta en hombros en la tierra de promisión. De este modo Dios habrá de escuchar la voz del pueblo al ir a hacer justicia y, si el Supremo Hacedor se negara, entonces quedaría manifiesta la injusticia, según se concluye en *Del sentimiento trágico.*

Nadie conoce la sepultura de Moisés allá en el valle de la tierra de Moab, pero el pueblo de Valverde de Lucerna sí conoce el sepulcro del párroco, quedando de ese modo asegurado el culto a su tumba. Jugando siempre con ese dualismo, Unamuno intercala al final de la novela un dato de la carta de San Judas Tadeo, sobre la posible Asunción de Moisés y el rescate de su cuerpo de las manos de Satanás. Con ello Unamuno parece sugerir que, aunque no se conozca la sepultura de Moisés, entró efectivamente y mereció entrar en la tierra prometida, es decir, en la vida eterna.

La misión la prosigue luego Josué, nuevo guía del pueblo, pero en la novela no se llega nunca a la tierra de promisión, sino que, muertos los dos caudillos, la vida cotidiana sigue su estela, su peregrinaje. Y es que la vida humana es precisamente eso: camino, ensueño de tierra de promisión, que dura mientras dure la raza humana. La tierra prometida se encuentra al otro lado del umbral de la muerte y en ella se entra solo, pues solo se muere uno. La misión privilegiada de los caudillos arrastra consigo la pesada carga de la responsabilidad, y por el pueblo a que acaudillaron se salvarán o se perderán. Como dice E. Olaso, "Es indispensable pensar hasta sus últimas consecuencias que si la muerte se experimenta como absoluta soledad la supervivencia sólo es concebible con todos"[2].

No cabe duda de que Unamuno, al trazar esta serie de paralelos, ha intentado fusionar los valores y el significado trascendentales del Antiguo y el Nuevo Testamento, con el fin de apoyar en ellos la personalidad y la justificación del párroco e, indirectamente, las del propio Unamuno. Y este párroco, parece decirnos Unamuno, que guarda tal semejanza con Moisés y Cristo ¿no ha de merecer el premio de la salvación y la inmortalidad tanto por el juicio divino como por el humano? Este es otro de los méritos de la novela, el plantearle ese problema al lector y dejar que decida por su cuenta.

---

[2] *Los nombres de Unamuno,* Buenos Aires, Sudamericana, 1963, pág. 24.

DON MANUEL, PARROCO

I. IDENTIDAD Y CONTINUIDAD

EN el prólogo del *San Manuel,* Unamuno declara que lo que atosiga a sus personajes "es el pavoroso problema de la personalidad, si uno es lo que es y seguirá siendo lo que es". Y más adelante concluye: "Don Manuel Bueno busca, al ir a morirse, fundir, —o sea salvar— su personalidad en la de su pueblo..." Esta declaración nos proporciona sin duda la clave del problema: "si uno es lo que es" que nos zambulle en el maremagnum de los yos reales y posibles; y si "seguirá siendo lo que es", que abarca el anhelo de inmortalidad y eternización en estos cuatro aspectos: la paternidad biológica, la paternidad espiritual, la vida de la fama y la vida eterna cristiana. Las tres últimas busca resolverlas el párroco fundiéndose con el pueblo y adoptando una moral de resignación activa.

Sánchez Barbudo ha destacado que el caso de Don Manuel envuelve un problema de *identidad* y *continuidad,* sólo que para él San Manuel refleja más bien uno de *discontinuidad* que de continuidad: "El problema de la personalidad, entendido éste como problema de identidad, el del contraste entre lo que uno es y lo que parece, es el que vemos reflejado en la novela de Don Sandalio; y entendido como problema de continuidad, es el que podría decirse se manifiesta en San Manuel... Pero en último término el problema básico en el párroco —como en el propio Unamuno— no era el de la continuidad, no era el de no saber si seguiría viviendo o no, y ni siquiera el de no querer morirse, sino el de saber que, sin duda alguna y sin esperanza alguna, iba a morir. Más que problema de la continuidad era, pues, el sentimiento congojoso de la *discontinuidad*..." "Hay un contraste entre lo que el párroco era en verdad y lo que parecía, y así esta obra refleja también el problema entendido como problema de identidad..."[1].

Es indudable que la amenaza de la discontinuidad, el sentimiento de la propia nada después de la muerte, acongoja al párroco —como a Unamuno—, pero no parece que se presente de un modo tan tajante y radical "sin duda alguna y sin esperanza alguna". Más bien tanto la discontinuidad como la continuidad caen para el párroco —y para Unamuno— dentro del cálculo de probabilidades. Si Don Manuel busca salvar su personalidad en la del pueblo, apuesta automáticamente por la probabilidad de la continuidad, y esto lo mismo en el orden de la fama que en el de la vida eterna. "Yo y el mundo nos hacemos mutuamente", ha dicho Unamuno, por lo que el yo que Don Manuel quiere ser y el que los demás quieren que sea —o creen que es—

---

[1] *Op. cit.*, págs. 149-50.

se necesitan y complementan mutuamente. El párroco espera que la personalidad que ha forjado en colaboración con el pueblo le justifique, no sólo en este mundo, sino también en el otro. "Existe lo que obra", afirma Unamuno, y ¿cuál es el Don Manuel que obra obras de vida y de fe en el pueblo mas que el que juntos han forjado? Unamuno nos demuestra en esta novela que el individuo es parte inevitable de la sociedad y sólo en ella se completa. La preservación de la propia conciencia con que Unamuno soñaba no se logra más que fundiéndola con la social.

Si el caso de Don Manuel fuese el de Don Sandalio, carecería de personalidad propia, pues aparentemente sólo posee la que los demás se imaginan. Y no se plantearía el problema de identidad dramáticamente, pues ésta vendría a ser la que los otros forjan. Lo importante es darse a los demás, pero conservando la propia individualidad que es la que le identifica a uno de veras, la propia cifra; de ahí la conducta del párroco y el hecho de que no revele su verdad. El problema de la continuidad se presenta como una incógnita hasta que no se traspasen los umbrales de la muerte, por lo tanto procede obrar en consecuencia y atar todos los cabos con el fin de asegurar esa continuidad. Y así el problema de la identidad y la continuidad viene a ser uno y el mismo. (Cf. los versos citados del poema "Conócete a ti mismo").

II. EL PUEBLO: DESTIERRO-DES-CIELO[2]

NO cabe duda de que el pueblo de Valverde de Lucerna es simbólico. Desde el punto de vista bíblico es un eco del pueblo de Israel y el párroco su profeta y guía; en segundo lugar, las dos Valverdes se traducen en las dos Españas, la real y la soñada, por lo que el pueblo, la feligresía, se convierte en el pueblo español y Unamuno su profeta; y finalmente, de un modo lato y universal, los habitantes de Valverde de Lucerna vienen a ser los

---

[2] En el prólogo del *Cancionero* de Unamuno, Federico de Onís, su editor, comenta: "Sigue la idea del destierro, que luego abandona cuando el destierro termina y el *Cancionero* continúa; pero el énfasis está en la 'frontera', que no es sólo de la patria, sino 'la frontera del cielo', la linde entre la vida y la muerte..." (Citado por Luis Felipe Vivanco, *Op. cit.*, pág. 365). Y A. Zubizarreta, al estudiar la lengua de Unamuno, dice: "Unamuno crea palabras por analogía. Sobre *destierro* inventa *des-cielo,* para expresar toda su preocupación religiosa, porque, para él, los desterrados son desterrados de la eternidad", *Op. cit.*, pág. 164.

habitantes del mundo, es decir, la Humanidad entera, en nombre de la cual se expresa Unamuno.

Dejando a un lado el aspecto bíblico del que ya hemos hablado, conviene referirse al pueblo español y la misión profética que sintió Unamuno desde joven, según le refiere a su amigo Ilundain (carta del 25-5-1898) y que Blanco Aguinaga explica así: "Además de la justificación de la lucha por sí misma para sí, Unamuno saca de su desesperanza otra justificación y esperanza: el llevar a los demás no la paz, sino la espada, de ser una necesidad, se convierte pronto para él en una misión que da sentido a su paso por la tierra...: despertar al dolor y a la agonía a cada uno de sus lectores para que vivan más... Además, y de paso, naturalmente, el dolor que sus 'confesiones' de profeta provoquen en los demás le será devuelto a él en forma de lucha que los otros le ofrecen para hacerle sentirse más vivo aún en su contacto con lo ajeno a sí mismo" [3].

Por lo que toca a las dos Españas, Unamuno las distingue de este modo: "Hay dos Españas, la geográfica, territorial o corporal, con todo lo que le atañe y le ciñe, como es lo económico, y la España histórica —no quiero decir la del pasado, pues historia es el porvenir y lo es el presente histórico— o espiritual, sostén de una cultura... hay que estar bregando a diario para que la España geográfica, terrenal, económica, no sea sino el cuerpo de la otra, de la España histórica o celestial. Celestial he dicho y no me desdigo. Tenemos que rezar a diario desde esta tierra española a Nuestra Madre que está

---

[3] *Op. cit.*, pág. 26.

en los cielos, a la de la historia"[4]. Finalmente, la referencia a la Humanidad viene dada como uno de los postulados básicos del pensamiento de Unamuno, cuando en *En torno al casticismo* proclamó de una vez para siempre que "el hombre, esto es lo que hemos de buscar en nuestra alma", y que "lo verdaderamente original es lo originario, la humanidad en nosotros".

Todo esto lo encontramos reflejado en la novela de San Manuel. La misión profética del párroco se resume en aquella declaración suya: "mi monasterio es Valverde de Lucerna... Debo vivir para mi pueblo, morir para mi pueblo". (Como sabemos su misión no va a ser la de despertar almas, que fue la que se atribuyó Unamuno, sino la de no despertarlas). Y a su pueblo se va a entregar en cuerpo y alma el párroco, y de él va a esperar —como de la Humanidad entera en el sentido más amplio— el perdón y la justificación de su labor y conducta, de su apostolado. De ahí que el párroco, en la que parece una actitud irreverente, le pida la absolución a Angela "en nombre del pueblo", pues en él queda cumplida su misión histórica; y en el seno de ese pueblo, su templo, su convento, su "Iglesia" —local-universal— muere y "se entierra".

Desde el punto de vista del problema de la personalidad, hallamos en esta novela un eco constante de las ideas que Unamuno expresa en *Cómo se hace una novela.* Don Manuel no quería ser sino

---

[4] Citado por Miguel Enguídanos, "Unamuno frente a la Historia", en *La Torre,* julio-diciembre, 1961, página 258.

de su Valverde de Lucerna, pues fuera de ella se sentiría —como Unamuno fuera de España— desterrado, es decir, en el "des-cielo", pues no hay cielo posible de otro modo, ya que no puede salvarse sin su pueblo. Sin el pueblo el párroco no se realiza a sí mismo, no puede hacerse un alma que dejar en la historia y a la vez le sirva de palanca para entrar en la tierra de promisión. Unicamente en Valverde de Lucerna cobra sentido la personalidad de Don Manuel. Solo no habría podido realizar su *quid divinum* tampoco, no habría escrito el poema asignado por el dedo de Dios. Por eso quiere morir y tiene que morir en el seno de la iglesia de Valverde de Lucerna, lugar predestinado para él [5].

---

[5] Véase en este sentido A. Zubizarreta, *Op. cit.*, página 53.

III. LA CARIDAD O EL AMOR-COMPASION

EL concepto de caridad en esta novela, raíz de la convivencia del párroco con su pueblo, dimana del dolorismo cósmico y concientización de todas las cosas que caracteriza la visión unamuniana del universo. "El amor y el dolor se engendran mutuamente, y el amor es caridad y compasión..." Y en otro lugar, "Acongojados al sentir que todo pasa, que pasamos nosotros, que pasa lo nuestro, que pasa cuanto nos rodea, la congoja misma nos revela el consuelo de lo que no pasa, de lo eterno, de lo hermoso. Y esta hermosura así revelada, esta perpetuación de la momentaneidad, sólo se realiza prácticamente, sólo se vive por obra de la caridad. La esperanza en la acción es la caridad, así como la belleza en acción es el bien" [6]. De esta cita cabe destacar los siguientes aspectos:

1) Que la caridad se da en una conciencia dolorosa —el drama interno del párroco, en este caso—;

---

[6] *Del sentimiento trágico,* IX.

2) que el dolor que experimenta el individuo en sí le refiere, por congoja propia y compasión, al prójimo, manifestándose en forma de amor. El dolor íntimo de Don Manuel se le desborda hacia el pueblo en un deseo desesperado de evitárselo a éste;

3) la congoja de sentir que todo pasa revela automáticamente, por ausencia, lo que no pasa: lo eterno, la suprema belleza, la perpetuación de la momentaneidad. De ahí que el párroco busque que el pueblo viva un presente eterno, la eternidad en el presente, la belleza de la vida por la ilusión y el contento de vivir.

4) La conducta a seguir será, pues, el ejercicio de la caridad y del bien, que es lo que hace el párroco, quien además lleva el apelativo de "Bueno".

IV. LA SUBLIMACION

AL hablar de la fe de Don Quijote, Unamuno señala su interpretación de la sublimación: "El la había hecho en pura fe [a Dulcinea], él la había creado con el fuego de su pasión; pero una vez creada, ella era ella y de ella recibía su vida él. Yo forjo con mi fe, y contra todos, mi verdad, pero luego de así forjada ella, mi verdad se valdrá y sostendrá sola y me sobrevivirá y viviré yo de ella"[7].

Al aplicar esta idea de la sublimación a Don Manuel surge de nuevo su postura y situación dual. Por un lado el párroco es miembro de una comunidad a la que ha unido su destino —es el hombre en cuanto ente social—, y en este sentido su fe, la creencia que le mueve a obrar de un modo determinado con el pueblo, forja su verdad, y es que el pueblo crea en la vida eterna y viva en esta contento. Pero por otro lado, Don Manuel es el indi-

---

[7] *Vida de Don Quijote y Sancho,* pág. 211.

viduo responsable de su propio destino, en cuyo caso la verdad creada por su fe es la opinión que de él va a formarse el pueblo, que es un santo y merece la canonización. Esta doble faz de la verdad del párroco, esta Dulcinea que crea a fuerza de fe, es el resultado de una misma conducta en que se armonizan los contradictorios: el destino individual y el social; el primero, apuntando a lo divino, el segundo a lo humano. Y esa verdad bifronte ya creada, se independiza de Don Manuel y éste vivirá de ella, y le sobrevivirá y el párroco seguirá viviendo después de muerto merced a ella. Esto mientras haya un solo habitante del pueblo que le recuerde, pues como dice Lázaro, "No siento tanto tener que morir como que conmigo se muere otro pedazo del alma de Don Manuel. Pero lo demás de él vivirá contigo. Hasta que un día hasta los muertos nos moriremos del todo". Como es usual en Unamuno, el olvido es la mayor amenaza; por eso resultan tan desoladoras aquellas palabras del cementerio de Arévalo: "Hasta las tumbas están ya aquí vacías; nuestros muertos se murieron del todo. Y porque se nos murieron los muertos no viven en nosotros los que han de nacer. El porvenir es ruina" [8]. El olvido destruye la obra y, por lo tanto, la existencia del que obra; lo que no se recuerda en ningún sentido está muerto de veras. Sublimación, sublimación de la vida soñándola inmortal para poder vivir de la verdad creada; rezar para que se verifique esa Valverde de Lucerna ideal que yace en el lecho del lago y los muertos que la nutren no se mueran del todo.

---

[8] Citado por Manuel García Blanco, *Op. cit.*, pág. 193.

V. EL NOS-ISMO DEL PARROCO

DON MANUEL lucha por una personalidad histórica con miras a eternizarse y para ello se hace un público, que se inmortalizará a su vez gracias a él. Un público que le escuche y se diga a sí mismo lo que el párroco les dice y que asimile la conducta de éste; de ese modo la compenetración forja la leyenda de uno y otro. Se hacen mutuamente, escriben la historia juntos y su obra resultará inseparable; el destino será común. La sustancialidad del alma del párroco se toca con la de cada uno de sus feligreses, de modo que Don Manuel, siguiendo las palabras de San Pablo, vive en el pueblo y éste en aquél. Pero como sabemos que el párroco no da a conocer su verdad íntima, sólo en el "grito" que le sale de las entrañas, en la exclamación del ¡Dios mío, ¿por que me has abandonado?! se establece la comunión espiritual necesaria y última. Esto junto a la personalidad imponente, llena de virtudes varoniles y misioneras, que distingue al párroco: "Tendría él... unos treinta y siete años. Era alto, delgado, erguido, llevaba la cabeza como nuestra Peña del Buitre lleva su cresta... Se llevaba las miradas de todos, y tras ellas, los corazones, y él al mirarnos parecía, traspasando la carne como un cristal, mirarnos al corazón... ¡Qué cosas nos decía! Eran cosas, no palabras. Empezaba el pueblo a olerle la santidad; se sentía lleno y embriagado de su aroma". "Cosas" no palabras les decía; el Verbo creador fluía por la boca de este varón privilegiado; palabras con sentido llenas de realidad trascendente —res: cosa: realidad—.

Don Manuel es autor-actor y co-creador de su obra con el pueblo. Al zambullirse en éste en busca de la fe del carbonero sabe que, una porción de esa fe, le corresponde por ser él quien la fomenta, por ser obra suya y, por la convivencia con los demás, sabe también que se contagia de su modo de vivir cotidiano. Por otra parte, su bondad, huella del dedo de Dios en él —su *quid divinum*— hace que el reino de Dios impere en el pueblo, y esto es ya un disfrute anticipado de la vida eterna; vivir en la fe es vivir en Dios. A su vez el pueblo busca salvarse por Don Manuel, a quien tiene por santo y a quien rinden culto luego de muerto. ¿Qué duda cabe de que, por la intimidad que les unió en vida, los feligreses han de considerarse privilegiados al igual que el pueblo judío a cuyos profetas hablaba dios directamente?

VI. LA SOLEDAD

EN la novela se nos dice que Don Manuel, "parecía querer huir de sí mismo, querer huir de su soledad... Mas, aun así, de vez en cuando se iba solo, orilla del lago". Y más adelante, declara el párroco: "... yo no nací para ermitaño, para anacoreta; la soledad me mataría el alma... Yo no debo vivir solo; yo no debo morir solo. Debo vivir para mi pueblo, morir para mi pueblo. ¿Cómo voy a salvar mi alma si no salvo la de mi pueblo?" En estas palabras sobresalen tres aspectos importantes, primero, que el alma del párroco se halla traspasada de una angustia que le mueve a encontrar refugio y consuelo en los demás; segundo, que sólo por el prójimo se llega a la inmortalidad de la fama y a Dios; y finalmente, que las excursiones del párroco a orillas del lago vienen a ser una intención de ensimismamiento, la práctica de la consigna unamuniana "reconcéntrate para irradiar", meterse uno en sí para luego volcarse en el prójimo con nuevos fueros.

Hay un tipo de soledad que es la más angustiosa de todas y es la soledad de Dios, la que siente entrañablemente el silencio divino y que Unamuno sufre en los momentos de crisis, "Dios se calla. Y se calla porque es ateo"[9]. A pesar de que el párroco busca a Dios por mediación del pueblo como una tabla de salvación, no cabe duda de que con Don Manuel estamos ante la soledad más radical, la que encubre su drama íntimo que no puede compartir con los demás —que no es tanto la privación de los otros como la circunstancia de no poder comunicar con ellos; de ahí su sacrificio y caridad—. No se trata de la soledad de "quedarse solo" por aniquilación de los demás, pero quedando "Dios como trasfondo de la muerte", que dice J. Marías[10], sino de la soledad absoluta en que no sólo dejan de ser los demás sino que Dios mismo deja también de ser. Y este es el problema con que se enfrenta el párroco a orillas del lago, el de no poder compartir

---

[9] En las dos crisis fundamentales de su vida, Unamuno descubre que "Dios es ateo". La de 1897, estudiada por A. Sánchez Barbudo, se define por la imposibilidad de lograr la gracia divina que le restaure la fe perdida que tuvo en su infancia. En la de los años del destierro, se trata de la incertidumbre ante la obra realizada. Así A. Zubizarreta: "En París la soledad le agobia al comprender lo *inútil* de su gesto... Y don Miguel no se siente solo únicamente en relación a su familia —soledad impuesta por su misión— y a los hombres de su época —incomprensión—, sino que se siente abandonado de Dios: 'Dios se calla. Y se calla porque es ateo'. Sentía más que nunca el silencio de Dios, sentía la 'soledad divina' ", *Op. cit.*, pág. 50.

[10] *Op. cit.*, págs. 236 y 241.

su angustia ni con el pueblo ni con un Dios de cuya existencia duda porque es un Dios oculto. En los momentos de máximo agobio, aquellos en que le fascina la idea del suicidio, Don Manuel sufre un aislamiento absoluto. Y si, como dice Unamuno en otra ocasión, "Los hombres vivimos juntos, pero cada uno se muere solo y la muerte es la suprema soledad"[11], también en la vida se puede dar esa suprema soledad.

De esa soledad absoluta buscará salir el párroco sublimando su drama y uniendo su destino individual al social. La soledad se convierte de este modo en móvil de acción. Se podría hablar entonces de tres tipos de soledad: 1) soledad por ausencia del prójimo, pero con presencia de Dios; 2) soledad por ausencia de Dios, pero con presencia del prójimo; y 3) soledad por ausencia del prójimo y de Dios. Y Don Manuel no se refugia —como Unamuno— en la soledad del estudio, aunque fuera campo de batalla, sino que huye de la meditación literaria y la posibilidad de sublimar su problema en la lectura. A Angela le aconseja leer el *Bertoldo,* y se nos dice que "su vida era activa y no contemplativa", que "huía de pensar ocioso y a solas", y que "escribía muy poco para sí". Ni tampoco un vivir de la expectativa —a ver lo que cuentan los periódicos mañana—, ni la proyección de los acontecimientos en el futuro servirían de consuelo para el párroco. Solamente un *modus vivendi,* un matar el

---

11 *Ensayos,* I, pág. 959.

tiempo alimentándose de las menudencias y la niebla de lo cotidiano le salva" [12].

---

[12] Diego Catalán, en un viejo estudio, ha mostrado cómo la soledad unamuniana conduce a la hermandad: "Hasta aquí, Unamuno, partiendo de las dos concepciones opuestas... en Leopardi —soledad, indiferencia— y Fray Luis —hermandad—, nos ha ido llevando hacia una visión única... es la Soledad, el desamparo ante la indiferencia, lo que conduce a la hermandad, pues la hermandad no es sino hermandad en el desamparo, en la soledad. Al ser todos solitarios somos hermanos en soledad. No hay otra solidaridad sino la de los solitarios en soledad" (" 'Aldebarán', de Unamuno, De la Noche serena a la Noche oscura", en *Cuadernos de la cátedra Miguel de Unamuno,* Salamanca, 1953, IV, págs. 43-70).

VII. LA VIDA ES SUEÑO[13]

AUNQUE enfocada desde una distinta perspectiva, la metáfora calderoniana de la vida como sueño pasa a formar parte integrante del pensamiento de Unamuno. La postura de sabor pragmatista de Calderón —que considera la verdad como una especie del bien y juzga los principios por sus consecuencias prácticas, por su utilidad para la vida eterna—, junto con su modernísimo postulado de obrar el bien aun en sueños —equivalente del *s'engager* de nuestros días[14]—, se funden con el sentimiento trágico de la vida unamuniano y sus facetas pragmatista y existencialista.

"¿Cuál es nuestro pecado, padre?, le pregunta Angelita a su confesor; "el delito mayor del hombre

---

[13] Para la metáfora de la vida es sueño, véase S. Serrano Poncela, *El pensamiento de Unamuno,* México, Fondo de Cultura Económica, 1953, págs. 115-120; C. Blanco Aguinaga, *Op. cit.,* V; y A. Zubizarreta, *Op. cit.,* III.

[14] Si en el siglo XX hemos aprendido que una de las facetas del alma española es "existencialista", aunque *sui generis,* conviene que aprendamos también que hay otra faceta "pragmatista" —*sui generis* igualmente, sin duda—, y Calderón representante de ambas.

es haber nacido", le responde el párroco. La realidad humana es para Unamuno la del sueño, aparencialidad, y es una realidad agónica porque no hay garantía de una vigilia después de la muerte, un despertar que nos brinde la realidad absoluta inalcanzable en el mundo terreno. Y si no hubiera esa realidad sustancial —si la muerte va a ser sueño también, o si va a ser un sueño sin ensueño, es decir, inconsciencia pura—, entonces los dioses se ríen de nosotros, somos sus títeres y la vida humana la más trágica comedia.

"Y como dijo Calderón, el hacer bien y el engañar bien, ni aun en sueños se pierde". Hacer el bien como algo espontáneo que brota del *quid divinum* y está más allá, trasciende la duda. Unamuno añade el "engañar", pero sabemos que en el caso del párroco quiere decir engañar con santa intención. "¡Qué ganas tengo de dormir, dormir, dormir sin fin, dormir por toda una eternidad y sin soñar!, ¡olvidando el sueño!" Denota el cansancio que revelan los versos del "Salmo III" que figuran en la tumba de Unamuno. La vida es una brega que agota todas las energías del hombre y a la hora de la muerte, el espíritu desfallecido, sólo anhela reposo sin cuidarse de otra cosa. Hay en estas palabras un tono pesimista y es por agotamiento. "No sé si estoy traspasando a este papel, tan blanco como la nieve, mi conciencia que en él se ha de quedar, quedándome yo sin ella". Su leyenda tiene que ir haciéndose en las hojas blancas de la vida, su personalidad eterna pende de lo que se ponga en esas hojas y no hay garantía de que se logre, porque el papel es blanco como la nieve, como el olvido.

VIII. LA MUERTE Y EL SUICIDIO

SE nos dice que el párroco "se interesaba sobre todo en los embarazos y en la crianza de los niños... Le conmovía profundamente la muerte de los niños. Un niño que nace muerto o que se muere recién nacido y un suicidio... son para mí de los más terribles misterios: ¡Un niño en Cruz!"[15]. La alusión a Cristo es obvia, por un lado al misterio de la Cruz y por otro al sacrificio en sí. La muerte de un niño inocente es semejante a la crucifixión del Cordero de Dios que fue Cristo. No cabe duda de que aquí repercuten una vez más lo que García Blanco llamó "los dolores de la paternidad de Unamuno", "la imperfección física de uno de sus hijos muerto de pocos años, para el que tuvo... las mayores preferencias y los más hondos afectos"[16]. Se

---

[15] Este es uno de los sentidos del libro *Teresa,* cuando Unamuno comenta: "Lo que sospecho es que mi pobre Rafael sentía que toda muerte en juventud es, en el fondo, un suicidio", *O. C.,* XIV, pág. 12.

[16] "*Amor y Pedagogía,* nivola unamuniana", en *La Torre,* julio-diciembre, 1961, pág. 472.

trata, como es sabido, de su hijo hidrocéfalo Raimundo. El anhelo de Unamuno de retornar a la infancia, el culto a la niñez, pues sólo haciéndose como un niño se entrará en el reino de los cielos, se revela también en las palabras del párroco. Pero el interés de Don Manuel por los embarazos y los recién nacidos es a la vez simbólico de la bandera que Unamuno enarbola contra la muerte, pues sabemos que su pensamiento es esencialmente una *meditatio mortis.* Hace ya tiempo que Julián Marías lo expresó con suma claridad: "Cada novela es para Unamuno un intento de vivir la muerte, de pasar a través de ella, de dejarla llegar, entrar en su ámbito helado y *quedar,* a pesar de ello, para verla ya desde el otro lado, es decir, consumada, para mirar ansiosamente *detrás*" [17].

La muerte, que da sentido a la vida a la vez que la destruye, se presenta con caracteres trágicos para el cristiano que no espera confiadamente en la eternidad. La muerte y el suicidio son una obsesión en Don Manuel y contra ellos lucha. El suicidio, puesto que la vida no tiene objeto si no hay otra después de la muerte, ofrecería el valor positivo de acabar con la congoja del vivir, pero se le daría el triunfo a la muerte, y eso, no. El párroco es el más acérrimo enemigo que tiene la muerte; antes de suicidarse es preferible el entontecimiento de la razón y contentarse de vivir dándose opio, cualquier opio, incluso el de la superstición; refugiarse en una creencia que consuele para no asentir,

---

[17] *Op. cit.,* pág. 65.

voluntaria o pasivamente, a la garra todopoderosa de la muerte.

De acuerdo con la cuestión de la personalidad, la explicación de la actitud del párroco —y de Unamuno, desde luego— vendría a ser que, tanto la muerte de los niños como la muerte en plena juventud, anula definitivamente la oportunidad de realizarse en la vida terrena y, aunque se podría contraponer que los designios de Dios son inescrutables y no habría por qué lamentarse tratándose de una decisión divina, no se puede olvidar que, para una conciencia dudosa como la del párroco —y la de Unamuno—, es imprescindible cierta garantía terrena, de lo contrario aumentaría de modo sobrecogedor la posibilidad de la Nada.

IX. EL CIELO PADECE FUERZA

DEL fondo del alma de Don Manuel brota un sentimiento de rebeldía que le pide cuentas a Dios porque le ha abandonado (Recuérdese el *non serviam* unamuniano que le separa de Kierkegaard y le aproxima a Nietzsche[18], y que "Miguel quiere decir, ¿Quién como Dios?"[19]. Dada la misión profética que siente en sí el individuo y su modo profundo de vivir la religiosidad, le parece una injusticia divina que no se cumpla en él la gracia de la fe. La cercanía de Dios en su vida, la necesidad que de El siente, tal vez la familiaridad con que el profeta trata a Dios, hacen que le exija cuentas al Supremo Hacedor de su destino: "El profeta que siente dentro de sí la contradicción de su destino se yergue frente a Dios y le interroga a Dios, le escudriña, le enjuicia, le somete a enquina... El profeta,

---

[18] Cf. F. Meyer, *Op. cit.*, pág. 32.
[19] *O. C.*, X, pág. 938.

el pueblo profético, sienten la responsabilidad de Dios. Y sienten la justicia" [20].

Pero precisamente por eso no se rinde, no ceja en su empeño, y adopta una moral de batalla que, si es por un lado una colaboración con la obra de Dios, es por otro un intento de obligar al cielo a que reconozca el esfuerzo personal de la lucha por la fe que se le niega. Este es también el sentido que adquiere en Don Manuel la frase evangélica de que "el reino de los cielos padece fuerza". El párroco espera merecer la gracia en la otra vida —pues en esta ya ha desistido de ello ante el Silencio de Dios— mediante la faena cotidiana en ese medio que Dios le asignó, Valverde de Lucerna.

---

[20] Citado por A. Zubizarreta, *Op. cit.*, pág. 278.

X. LOS CAUDILLOS

EN la novela se nos dice que Don Manuel creía que "más de uno de los más grandes santos, acaso el mayor, había muerto sin creer en la otra vida". Pero a esto hay que añadir el juicio de Angela: "Y es que creía y creo que Dios nuestro Señor, por no sé qué sagrados y no escudriñaderos designios, les hizo creerse incrédulos. Y que acaso en el acabamiento de su tránsito se les cayó la venda". Este designio divino, ha de ser el *quid divinum* que Dios grabó en sus almas para que llevaran a cabo una labor terrena tal vez irrealizable de otro modo. La isla de la inmortalidad que prometió Gracián, sólo acoge a los que supieron ser persona. Y es la teoría del superhombre en sus distintas versiones históricas: los profetas y caudillos como Moisés, el filósofo de los clásicos, el santo del cristianismo, el genio de Schopenhauer, el gran dudador de Kierkegaard, el héroe del Carlyle, el hombre selecto de Ortega, etc. Don Manuel, puesto que su problema es religioso, encarna principalmente los papeles de profeta, caudillo y "santo incrédulo".

Tal vez la misión histórica de ciertos caudillos como San Manuel Bueno sea precisamente la de fomentar en los demás una creencia en que ellos no creen o creen no creer, pero creyéndolo en una "desolación activa", para que sea verdad, para que se realice, y porque, además, "vence el que cree vencer"[21]. En este sentido se trata indudablemente de un destino divino que, como en el caso de los héroes carlylianos, ha sido encomendado por Dios para cumplir una tarea superior. De ahí que el caudillo no sólo le pida cuentas al cielo, sino que deja en las manos divinas la justificación final de su íntimo ser contradictorio. El hecho de que Don Manuel no se suicide no obedece solamente a que halle una sublimación en el pueblo, sino también a que en su inconsciente se da cierta fe en los inescrutables designios de Dios. De ahí, igualmente, que el caudillo viva en el pueblo y éste en aquél, pero que al mismo tiempo se reserve su intimidad, su secreto intrasferible e irrevelable. El caudillo, por su misión especial, se encuentra por encima de su pueblo, por eso puede aplicarle a éste aquellos versos:

Vosotros no tenéis estrella propia;
la polar, a su vez, se os oscurece;
tenéis que caminar sobre la copia
que en mi florece[22].

---

[21] *O. C., XIII,* pág. 640.
[22] *Ibid.,* pág. 415.

XI. LA INTENCION DE DON MANUEL

UNAMUNO nos ha dejado numerosas referencias sobre la intención y todas ellas parecen basarse en la expresión de San Pablo, "no hago el bien que quiero, si no el mal que no quiero hago". En la novela se dice que el párroco "no quería creer en la mala intención de nadie", lo cual viene a tener el sentido pauliniano de que las malas acciones son por lo común involuntarias, producto de la bestia que se apodera de nosotros. Pero a esto hay que añadir la mirada caritativa con que Don Manuel ve a sus feligreses al proyectar sobre ellos su conciencia dolorosa; las menudencias de la vida pierden su importancia ante la tragedia universal de la posible desaparición de todo.

Ahora bien, ¿qué juicio merece la intención del párroco que finge a sabiendas? Si recordamos la definición unamuniana de la caridad y el bien parece que Don Manuel se justifica en la conducta. Pero cabe objetar que el párroco enfoca el problema desde sí mismo, que proyecta su yo sobre los demás y no se pregunta si el pueblo debe y merece conocer la verdad. Don Manuel cree que los sencillos duermen efectivamente, cuando es probable que estén despiertos o tengan deseos de despertar. Esto lo ha visto muy bien Blanco Aguinaga, al comentar la teoría de la intrahistoria unamuniana: "Aquí, en verdad, nos encontramos frente al más hondo y triste sentido que tiene en Unamuno el concepto de intrahistoria derivado de su contemplación de la Naturaleza inconsciente... El era, por lo menos, doble en su alternancia y se veía a sí mismo como dos; pero al contemplar al pueblo desde la lejanía del monte en su aparente silencio no-histórico y reducirlo desde su *yo* contemplativo a colectividad inmoble e inconsciente, lo mutila como no se mutilaba a sí mismo; lo hace desaparecer como elemento real de la Historia de España. Al ver en el interior de los hombres y mujeres de la intrahistoria la 'dulce idea fija', pretende detener el curso de la vida de los demás como nunca detuvo él la suya"[23].

Claro que este aparentemente punto flaco de la intrahistoria en Unamuno hay que contrapesarlo con los aciertos y aportaciones que encierra su misión continua —hasta el momento de morir— de *Excitator Hispaniae,* que dijo Curtius. Pero aparte de esto, si planteamos el problema en términos universales, cabe preguntarse ¿hasta qué punto es posible revelar la verdad y hasta qué punto es preciso dar opio? Un mérito más de la novela de San Manuel, presentar el problema de nuevo y entregarlo una vez más a las discusiones de los hombres. Además, si el párroco opta por no despertar a su

[23] *Op. cit.,* pág. 200.

pueblo, Unamuno sí despierta a los lectores con las cuestiones que plantea. Ningún lector despabilado puede leer esta novelita con sosiego.

En verdad, la visión del párroco —como fue la de Unamuno— es una "economía a lo divino". Una tabla moral objetiva juzgaría al párroco por sus obras y por la opinión pública y por ellas no habría otro remedio que canonizarle, que es precisamente lo que va a hacerse merced al pueblo. El único tribunal que juzgará a Don Manuel de un modo absoluto es el divino, ya que su verdad íntima es para el pueblo desconocida y sólo Dios le conoce por entero. Pero aquí entran de nuevo en escena los designios inescrutables del Supremo Hacedor, que laten sin duda en el alma esperanzada del párroco. Y ese tribunal divino es en realidad el que Don Manuel tiene presente con su conducta, al que apelará en última instancia y del que espera reconocimiento por su labor de apostolado. El pueblo hará de testigo y le servirá de palanca. Dios habrá de ver que en la intención de Don Manuel va el anhelo de que haya una vida eterna —anhelo que fomenta en el pueblo—, y que ha unido su destino individual al colectivo y, si el pueblo merece salvarse, ¿por qué no el que les ha hablado de salvación?

Por otra parte sabemos que el párroco le revela la verdad a Lázaro y, con mayores reticencias, a Angela, lo cual podría debilitar su postura frente a los feligreses y frente al mismo tribunal divino. Pero lo cierto es que tanto Lázaro como Angela son dos grandes apoyos morales de los que Don Manuel no puede prescindir. Sin ellos las consecuencias; que tal vez le hubieran impedido llevar a cabo su misión, pudieron haber sido varias: quizás hubiese consuelo en el suicidio, quizás hubiera gritado su verdad en público, o aún pudo volverse loco, al romperse por la tensión las barreras de la voluntad, como diría Schopenhauer. En verdad, el pueblo, la colectividad, no dota al párroco de suficiente soporte moral, pues aun viviendo en comunidad se siente solo. La sublimación freudiana no basta si no va acompañada de la confidencia y la confesión. Apreciamos de este modo todo el valor humano de Don Manuel y nos deja comprender la simpatía de que goza entre los lectores de la novela. No nos encontramos ante un ser soberbio que alardea de semidiós, el párroco necesita comunicarse e intimar con alguien, con el prójimo. Alcanzamos también su ingente esfuerzo para no gritar a todos los vientos la angustia que le ahoga y la robustez de su amor caritativo para con sus semejantes.

XII. ECONOMIA A LO DIVINO

LA tesis que Don Manuel revela con su conducta y que Lázaro expone con sucintas palabras, es la siguiente. Tanto los que creen o instigan a creer fanáticamente en el otro mundo, como sólo en este son nocivos. Hay otro camino y es el de los que creen en los dos mundos a un tiempo. Los primeros atormentan a los demás para que desprecien esta vida y ganen la otra (cristianismo); los segundos se esfuerzan en negarle al pueblo el consuelo de otra vida (materialismo social); en cambio los terceros fomentan la ilusión de la otra vida sin despreciar la terrena, es más, haciendo ésta grata (economía a lo divino)[24].

---

[24] Desde bien temprano vio Unamuno el nexo de la economía y la religión. En 1896, escribía: "En el fondo de todo problema literario y aun estético se halla, como en el fondo de todo lo humano, una base económica y un alma religiosa. El económico y el religioso son, en acción y reacción mutua, los factores cardinales de la historia humana, el cuerpo y el alma de todo ideal vivo, nacido de la unión sustancial de esos factores. De la panza sale la danza, y de la fe, la mística", *Ensayos,* I, pág. 186.

Se trata de armonizar los extremos —un ejemplo más de cómo en esta novela se busca resolver los contradictorios—, hacer posible la felicidad terrena a través del prisma de lo eterno, y viceversa, imaginar una felicidad divina por el contento de vivir terreno. Es decir, la espiritualización de lo material y la materialización de lo espiritual; que viene a ser uno de los sentidos de lo que Unamuno ya propuso en *Del sentimiento trágico,* al definir el trabajo como cruz. Por ello solamente en apariencia son paradójicas las palabras que el párroco le dirige a Lázaro, cuando éste le propone fundar un sindicato católico agrario: "No, Lázaro, no; la religión no es para resolver los conflictos económicos o políticos de este mundo..." Pues Don Manuel se las está aplicando al discípulo y a sí mismo, a los dos caudillos, para quienes no puede haber "opio" que les libre de la "terrible pesadilla". En cambio al pueblo "Démosle opio, y que duerma y que sueñe", para que "se distraiga". Que no tiene un sentido inhumano ni mucho menos, sino que es más bien una solución práctica, la garantía de una república moral, religiosa y feliz que dé finalidad divina y humana al universo. Pues sabemos que el párroco agoniza ante la posibilidad de que no haya otra vida, y sería absurdo, en tal evento, destruir un contento de vivir que le es asequible al hombre. Aunque se trata de una eternidad "de unos pocos años", la existencia humana, falta de todo consuelo, resultaría un tremendo e insufrible vacío. De ahí que el párroco llegue al extremo de justificar cualquier creencia, cualquier opio "en cuanto consuelan de haber tenido que nacer para morir". Y si Don

Manuel fomenta la religión católica entre sus feligreses, es porque la ha hallado establecida en el pueblo, en la que han crecido y a la que están acostumbrados, no para engañarles, "sino para corroborarlos en su fe". "Clavar la rueda del tiempo", ha dicho Unamuno significativamente [25], para retener cada instante que pasa. Otro de los logros del párroco con su política de economía a lo divino, pues Angela "no sentía... más pasar las horas, y los días y los años, que no sentía pasar el agua del lago". No se sentía envejecer, vivía la sensación de la eternidad en el presente; y así todo el pueblo.

---

[25] *O. C.*, X, pág. 858.

LOS OTROS PERSONAJES

I. ANGELA CARBALLINO[1]

ANGELA, memorialista de Don Manuel, nos hace vivir a través de su delicada sensibilidad femenina la intimidad de ese "varón matriarcal" que fue su padre espiritual. Por él y para él vivió ella y por él se encontró a sí misma, identificándose con el drama del párroco y haciendo suya una causa ajena. Discípula, hija y madre a la vez justifica aquellas palabras de Unamuno, "Todo amor de mujer es, si verdadero y entrañable, amor de madre; la mujer prohija a quien ama"[2]. Cuando

---

[1] El apellido Carballino sugiere por analogía el nombre que en Asturias se le da al roble: *carvallo,* que sin duda alude al alma robusta de Angela y al símbolo de lo eterno que ésta es para el párroco, su costumbre y refugio.

[2] *Vida de Don Quijote y Sancho,* pág. 196.

La maternidad es en Unamuno nostalgia de dos mundos: el prenatal y el de la infancia. La crisis que sufrió en 1897 debió dejarle esa impresión para siempre, pero no se concibe sin que hayan afluido a ella todas sus experiencias de niñez junto al seno de su madre. En el *San Manuel,* como en tantos otros lugares de la obra unamu-

él le falta ya no sabrá "lo que es verdad y lo que es mentira", tal fue la compenetración con Don Manuel y tal el hechizo de su presencia.

El párroco evade por cierto tiempo el compromiso de revelarle la verdad a Angela; sabe que ella cree sinceramente y, no deseando minar esa fe sana, adopta con ella una actitud caritativa similar a la que practica con el pueblo. Con los años, sin embargo, Don Manuel va presumiendo que su discípula predilecta conoce su secreto y ello equivale a haberla expuesto a la misma duda que le atosiga a él, duda que Angela no recoge sino que sigue firme en su fe. La solidaridad de esa fe puesta a prueba hace que el párroco acabe por declararle

---

niana, se repite el grito ¡Hijo, mío! que había lanzado un día su esposa Concha —Dolorosa atravesada por siete espadas, símbolo del agudo dolor y del paralelo con Cristo—. La maternidad define en general a la mujer unamuniana, al menos esa suele ser su ancla y su escudo, pues en los complejos personajes femeninos que Unamuno ha creado, tal *La tía Tula,* la maternidad viene a ser una máscara para ocultar y ejercer libremente su pasión de dominio, a la vez que para tapar los complejos que tiene. La concepción de un Dios humano y del hombre perfecto lleva en Unamuno también esa connotación maternal: "La concepción de Dios que se nos ha venido transmitiendo ha sido una concepción, no ya antropomórfica, sino andromórfica... Dios era y es en nuestras mentes masculino... Para compensarlo hacía falta la madre, la Madre que perdona siempre... la madre que no conoce más justicia que el perdón ni más ley que el amor", *Ibid.,* página 223. Por eso Don Manuel es "varón matriarcal", porque reúne en sí las características del varón y de la mujer; padre y madre a la vez, paternidad espiritual que engendra discípulos y los consuela amorosamente.

la verdad abiertamente. Es muy probable que el párroco vea en la fe de Angela aquella que él tuvo un día y hoy añora que no debe destruir. Al mismo tiempo Don Manuel tiene plena conciencia del afecto maternal que por él siente Angela. Lucha, pues, entre el fingir o no fingir con ella, pero al fin, buscando su amparo y consuelo, vence la verdad. Don Manuel no puede engañarse a sí mismo, no logra entontecerse por completo, y al no poder engañarse tampoco puede engañar a Angela; la verdad es un imperativo para con quien tan bien le entiende y tanto le compadece.

II. LAZARO

APARTE del simbolismo bíblico que ya hemos visto, Lázaro, en su etapa inicial como personaje de la novela, representa el progreso y el espíritu de la Generación del 98, de la que Unamuno es cabeza. Como a los miembros de dicha generación, a Lázaro "le duele España". Regresa del Nuevo Mundo saturado de ideas progresistas y preconcebidas sobre la educación, la religión, el campo y la madre patria; y así, cuando se percata del imperio que el párroco ejerce sobre el pueblo, se irrita porque "Le pareció un ejemplo de la oscura teocracia en que él suponía hundida a España". No tarda mucho, sin embargo, en admitir que el párroco "No es como los otros"; pero para los prejuicios anticlericales de Lázaro y su visión de una patria "feudal y medieval" la conducta de Don Manuel no es ni lógica ni normal: "...pero a mí no me la da; es demasiado inteligente para creer todo lo que tiene que enseñar". Ha de existir algún fallo por algún lado desde el momento en que el párroco no se ajusta a la imagen que él tiene del clérigo típico. Lázaro se nos aparece así como uno de tantos de los que enarbolan la bandera del progreso mientras miran con ojos escépticos todo lo demás (Eco de la postura del propio Unamuno antes de lanzar el ¡Muera Don Quijote! y encomiar el sueño de la vida de los idiotas por excelencia). Lázaro no acepta que una persona inteligente y despierta a las corrientes materialistas modernas pueda creer con sinceridad en las Escrituras y los dogmas; si lo pretende ha de ser por defender el oficio y el pan de cada día, fingir por motivos profesionales.

Nada se dice en la novela de la pérdida de la fe de Don Manuel, se nos da como un hecho, pero hemos de conjeturar que su experiencia debió haber sido semejante a la del autor —exceso de racionalización de la fe y asimilación de las corrientes positivistas—. En este sentido, el párroco, como Lázaro, vendría a ser otro hijo de su tiempo, tiempo de la bancarrota de ciertos valores tradicionales y de escepticismo religioso en aras de la ciencia y el progresismo. Y la cuestión es que Lázaro está en lo cierto en cuanto al escepticismo oculto de Don Manuel, lo que establecerá un primer punto de contacto sobreentendido entre el futuro maestro y el futuro discípulo. Desde un principio Lázaro presiente en el párroco un alma gemela a la suya; pero experimentará un hondo sacudimiento espiritual al enterarse de los verdaderos motivos que rigen la conducta del guía del pueblo, mucho más dramáticos de lo que a primera vista parecen.

La conversión

La conversión, o seudoconversión, de Lázaro es más compleja de lo que su rapidez deja entrever. Los factores que concurren deben haber sido múltiples, sin duda, y abarcan aspectos que caen fuera de la mera aceptación de las razones que el párroco le haya podido ofrecer. En primer lugar se trata de dos personas inteligentes que rinden culto a la razón y a sus dictados, pues se acercan el uno al otro con tolerancia y se exponen sus ideas sin resentimiento. Virtud que Unamuno destaca al decir de Lázaro, "...como era bueno por ser inteligente..." (Eco socrático, tal vez, de considerar la razón y la comprensión como virtudes máximas). En segundo lugar, a Lázaro le intriga la persona del párroco desde el primer momento; quiere saber, conocer la causa del éxito y el fin de su conducta y apostolado, pues da por descontada la existencia de un secreto oculto.

Vemos entonces que no estamos ni ante un deseo de creer ni ante un anhelo de conversión, sino que más bien Lázaro parece sentir la necesidad de probarse a sí mismo, de confirmar sus creencias materialistas, de llegar a saber por qué una supuesta alma gemela no predica su propio evangelio progresista y, por el contrario, lo ignora en aras del Evangelio divino. Es como si Don Manuel fuese para Lázaro una nueva especie, un producto inesperado, motivo de que inicie en seguida una política de acercamiento, que le va a traer buenos resultados. La fruición evidente de Lázaro al arrancarle el secreto al párroco es hija de la satisfacción personal de haber confirmado sus sospechas; resultado favorable para que Don Manuel le gane para su causa, pero en el que ha jugado un papel primordial el tino del propio párroco: "No trataba al emprender ganarme para su santa causa... arrogarse un triunfo". Lázaro ha salvado su integridad, no se le ha humillado, sino que se ha apelado a su inteligencia y el párroco le ha mostrado su interior. De ahora en adelante el ser copartícipes de un secreto de tal envergadura servirá de lazo de unión entre maestro y discípulo.

Lázaro ha agradecido la sinceridad del párroco y ha visto en el drama de éste una hombría que merece respeto a la vez que compasión. La caridad, el amor-compasión que Don Manuel extiende sobre su pueblo germina también sin duda en el alma del discípulo. Y en otro sentido, al compartir ya el secreto con el párroco, ¿no se entrevé que Lázaro, escéptico desde el primer momento, ha de hallar cierta satisfacción personal en ser de los pocos que dudan? Si según Don Manuel "más de uno de los más grandes santos, acaso el mayor, había muerto sin creer en la otra vida", ¿no se imaginará él, Lázaro, como uno de los predestinados, otro santo para el pueblo, un caudillo, un Josué a su modo que secunda y sucede a su Moisés? Las palabras de Angela confirman ese destino: "Era otra laña más entre las dos Valverdes... uno también a su modo de nuestros santos".

Don Manuel hace de Lázaro un hombre nuevo, "un verdadero resucitado", dándole fe en el contento de la vida y curándole de su progresismo. Pero para mejor comprender el alcance de la labor personal del párroco con su recién ganado discípulo, tal vez sea pertinente conjeturar algo más sobre la solidez de la postura de Lázaro al llegar de América. Quizás en el fondo de su actitud escéptica y progresista latiera la duda y sus aparentes convicciones adolecieran de una cristalización definitiva, siendo su criterio aún fluctuante. Es posible que Lázaro no hubiese asimilado todavía de veras las teorías que pretendía profesar a su regreso al pueblo y su personalidad íntima se hallara, en el sentido auténtico, vacante; es decir, es probable que aún no se hubiese encontrado a sí mismo. Por otro lado cabe que se tratara de un problema de índole religiosa y su fe de la infancia se le manisfestase —como a Don Manuel— de un modo inconsciente, según atestiguan las palabras de Angela de que en el fondo del alma de Lázaro hay también una "villa medieval". Finalmente, recordemos aquel párrafo de Unamuno ya conocido: "Llevamos todos ideas y sentimientos potenciales que sólo pasarán de la potencia al acto si llega el que nos los despierte. Cada cual lleva en sí un Lázaro que sólo necesita de un Cristo que lo resucite..." La resurrección de Lázaro, su conversión, viene a significar entonces el despertar de ideas y sentimientos que antes tenía dormidos, sin duda de tipo religioso, en esa villa medieval que habitaba en el fondo de su ser. Lázaro, merced al encuentro con ese Otro que es para él el párroco, llega a conocerse a sí mismo, a encontrar su ser auténtico y definitivo.

La promesa de Lázaro

A instancias de Don Manuel, Lázaro promete rezar por su madre cuando ésta se encuentra en el lecho de muerte, y luego le replicará a Angela: "Cómo iba a faltar a mi palabra... Es que si yo no hubiese cumplido la promesa viviría sin consuelo". En primer lugar se da por supuesta la existencia de un código del honor que, en el caso de Lázaro, se traduce en dignidad personal a la que apela en seguida el párroco. En segundo lugar las circunstancias bajo las que se hace la promesa —muerte de la madre—encierran la mayor solemnidad, que revelan dos valores importantes: el culto a la maternidad con el correspondiente amor filial, y el culto a la muerte, el acontecimiento más serio y decisivo de la vida, la simple presencia de la muerte dota de solemnidad cualquier instante. Si Lázaro no hubiese cumplido su promesa viviría ciertamente "sin consuelo", pues, como dice Unamuno en otro lugar, "la muerte es ya, de por sí, un arrepentimiento y una expiación" [3]; pero la muerte es también la "frontera" de la vida terrena, el enlace con la vida de ultratumba y la promesa sirve para unir y seguir uniendo esas dos vidas y para unir y seguir uniendo a los que quedan con los que se fueron. El rezo, en este sentido, permite unir el presente terreno con el futuro eterno, la existencia con la post-existencia, y el rezo es consuelo y un intento de que la fe se haga realidad, para que los muertos no mueran del todo y el enlace de esta vida con la otra no caiga en el olvido.

Las últimas consecuencias de la promesa de Lázaro las señala con gran penetración John V. Falconieri: "No obstante, nuestra inmortalidad en la

---

[3] *Ensayos,* I, pág. 1009.

vida de los demás es más que mero recuerdo. Supone el grave conocimiento de que cada uno de nosotros lleva dentro de sí la vida eterna de los otros. Por lo tanto, tenemos la responsabilidad de vivir en la fe puesto que la eternidad de ellos depende de nosotros... Lázaro, el incrédulo, reza fervorosa y sinceramente todos los días como había prometido, porque sabe que se ha convertido en el guardián de la fe de su madre..." (La traducción es mía)[4].

El sanchopancismo de Lázaro y el quijotismo de don Manuel

En el prólogo de la novela Unamuno menciona el "martirio quijotesco" del párroco, y no cabe duda de que, si recordamos la interpretación unamuniana del hidalgo y su escudero, se aprecia un indiscutible paralelo entre Don Quijote y Don Manuel por un lado, Sancho y Lázaro por otro. Como Sancho con su amo, Lázaro encuentra gracias al párroco una nueva meta en su vida, una más alta misión que cumplir, una ínsula que conquistar y gobernar. Si Sancho se quijotiza por la convivencia con Don Quijote, Lázaro se identifica hasta tal punto con el espíritu de su amo que, cuando éste muere, ya no puede vivir sin él; y se le pueden aplicar las palabras que Unamuno le dirige a Sancho: "Tú sin tu amo estás tan solo que estás sin ti. Gustaste el amparo de Don Quijote, cobraste fe en él; si el mantenimiento de tu fe te falta, ¿Quién te librará del

---

[4] *Op. cit.*, pág. 141.

miedo?"[5]. Y es que, como continúa diciendo Unamuno, "la fe, amigo Sancho, es adhesión, no a una teoría, no a una idea, sino a algo vivo, a un hombre real o ideal, es facultad de admirar y de confiar". ¿Y no es acaso la nueva fe de Lázaro una adhesión al hombre Don Manuel? Cuando Don Quijote recobra el juicio en el lecho de muerte, Sancho le propone hacerse pastores en un desolado intento de salvar al amo con la propia fe de éste; en la primera comunión de Lázaro, cuando al tembloroso párroco se le cae la hostia de las manos, el discípulo la recoge y la toma; por encima del sacrilegio de comulgar sin creer, Lázaro siente la devoción por Don Manuel. Más que fe en una doctrina, la fe de Lázaro es fe en la persona del párroco; y lo mismo se puede decir del pueblo de Valverde de Lucerna —Sancho quijotizado también—, que toma la iniciativa cuando Don Manuel fallece. Para los que le han visto la cara a Dios —porque dudan de la vida eterna o de su logro—, para los Sanchos que esperan de premio una ínsula cuya consecución depende de las hazañas de su amo, para los que no tienen otro apoyo de su fe que la probabilidad, para esos no hay consuelo cuando les falta su Don Quijote, auténtico creador y verdadero sostén del mito.

Por otra parte, Lázaro completa al párroco como Sancho a su amo; con Sancho, dice Unamuno, "ya está completado Don Quijote. Necesitaba a Sancho. Necesitábalo para hablar, esto es, para pensar en voz alta sin rebozo, para oírse a sí mismo y para

---

[5] *Vida de Don Quijote y Sancho,* pág. 85.

oír el rechazo vivo de su voz en el mundo. Sancho fue su coro, la humanidad toda para él"[6]. O aquellas otras palabras: "Sancho era la humanidad para Don Quijote, y Sancho, desfallecido y enardeciéndose a veces en su fe, alimentaba la de su señor y amo. Solemos necesitar de que nos crean para creernos... Sancho mantenía vivo el sanchopancismo de Don Quijote, y éste quijotizaba a Sancho, sacándole a flor de alma su entraña quijotesca"[7]. Don Manuel necesita a Lázaro de confidente para no gritar en voz alta su verdad y le necesitaba para oírse a sí mismo, como atestiguan las palabras que le dirige a Angela: "Una de las veces en que al decirme Don Manuel que hay cosas que aunque se las diga uno a sí mismo debe callárselas a los demás, le repliqué que me decía eso por decírselas a él, esas mismas a sí mismo". ¿Qué duda cabe del soporte moral que el discípulo supone para el maestro? Y no sólo es Lázaro el complemento de la labor del párroco, sino que es también la prueba evidente del valor positivo de su postura, pues crea escuela, hace discípulos; Lázaro y el pueblo son la verificación de la verdad que encierra la conducta del párroco, la esencia eterna de su apostolado y de su personalidad histórica.

---

[6] *Ibid.*, pág. 43.
[7] *Ibid.*, pág. 123.

III. BLASILLO, EL BOBO

BLASILLO es un eco inocente y tragicómico del drama del párroco que nos trae a la memoria, no sólo a Orfeo, el perrito de *Niebla,* sino también el poema elegíaco de Unamuno en la muerte de un perro:

> *Yo fui tu religión, yo fui tu gloria;*
> *a Dios en mi soñaste;*
> *mis ojos fueron para ti ventana*
> *del otro mundo.*
> ....
> *El vivir con el hombre, pobre bestia,*
> *te ha dado acaso un anhelo oscuro*
> *que el lobo no conoce*[8].

Blasillo muere con su amo porque éste es la única razón de su ser y de su existir, su dios[9], y la

---

[8] *O. C.,* XIII, pág. 350.

[9] Como dice Falconieri en su ya citado artículo: "Blasillo ha sido privado de la razón como Don Manuel ha sido privado de la fe. Ambos han sido abandonados por

irracionalidad propia del tonto explica la analogía con el perro, pues Blasillo viene a encontrarse en su estado animal. Tal animalidad no posee ni mucho menos un sentido despectivo, sino que es más bien una virtud: la de la santidad, por hallarse próxima a la Naturaleza. Al hablar de los santos naturales, escribe Unamuno: "Pues bien: los grandes santos verdaderos, que son los hombres que han llegado a la alta espiritualidad a que cabe llegar a hombre nacido, los más grandes santos, que han sido los supremos poetas, por haber hecho de la vida poesía, esos han sido los hombres cuya vida se acercaba más a la animalidad. En pura santidad llegaron a la inocencia de los animales... La gracia les había vuelto a la pura naturaleza. Y por lo que toca al hecho supremo de la vida, que es morirse, recuerdo haber leído en un escritor ascético... que se muere natural y sencillamente; y a esto añade que muchos de los grandes santos se murieron como los animales: acostándose a morir. Y de aquí saco que, al decirse eso de 'murió como un perro', no se

---

Dios... La fe necesita el soporte de la razón y, faltándole ésta, el bobo sólo puede hallar apoyo y razón para su fe en Don Manuel, el incrédulo. El bobo no puede sobrevivir al amo porque su fe emana de Don Manuel, que es la fuente espiritual que crió y alimentó su alma. No puede morir sin su ancla en su partida hacia la vida eterna... Por otra parte, notamos también que Don Manuel busca la mano del bobo, porque representa para Don Manuel la fe simple y libre de dudas que siempre anheló y nunca logró —excepto indirectamente en la vida y la muerte de sus seguidores—, simbolizado por el gesto final de darle la mano al bobo". (La traducción es mía).

tiene en cuenta que es la tal muerte un morir de santo"[10].

La capacidad imitativa de Blasillo de tipo animal e inconsciente, posee un tono tragicómico, además de ser en la novela un estribillo que sirve de recurso dramático. Trágico porque es un eco burdo y una representación grotesca, aunque sincera, del drama del párroco, cómico, por su ridiculez ante la distancia que separa a uno de otro. Sin embargo, Don Manuel y Blasillo son el anverso y el reverso de una misma medalla: el consciente y el inconsciente, por lo que se complementan y justifican mutuamente. Además, la situación es simbólica: si se ve y estima la santidad en la inocencia animal de Blasillo, ha de notarse también por reflejo en el párroco.

El personaje Blasillo resume sin duda en la mente de Unamuno un conglomerado de experiencias personales y añoranzas. Por una parte, es el símbolo de la inocencia de la niñez a la que anhela volver, pues para el hombre que sufre de un exceso de conciencia Blasillo es un modelo que hay que imitar, hacerse niño como él para poder entrar en el reino de los cielos; y es automáticamente símbolo también del misterio de lo eterno cósmico que caracteriza lo intrahistórico y la costumbre. Pero por otra parte es seguro que Unamuno asocia asimismo con el tonto del pueblo el recuerdo de su hijo hidrocéfalo, que tantas y congojosas meditaciones le originó; y en los años del destierro vol-

---

[10] *Ensayos,* I, pág. 644.

verá a asociar el recuerdo de ese hijo con otro niño a cuyo entierro asistió en París [11].

Sánchez Barbudo con gran intuición ha visto en Blasillo un eco del entontecimiento que buscaba y postulaba Blas Pascal [12], que adquiere un perfecto sentido además si lo referimos a la aplicación de la fórmula pascaliana que Unamuno hace a lo largo de toda la novela, según veremos.

---

[11] Escribe Zubizarreta: "La muerte de su hijo hidrocéfalo, Raimundo, antes de la crisis de 1897, le repercutió con la muerte del niño Yago de Luna, a cuyo entierro asistió en París. Además aquel niño muerto, frustrado, simbolizaba su propia fe de niño que había perdido sin recuperación posterior y que Don Manuel busca afanosamente en el pueblo", *Op. cit.*, pág. 62.

[12] Cf. *Op. cit.*, pág. 159.

UNAMUNO Y PASCAL

I

NO estará demás cotejar someramente la trayectoria del problema religioso que atormentó a Pascal y a Unamuno, estudiado ya en gran medida por López-Morillas [1], y que nos va a servir para aclarar el uso que se hace de la fórmula pascaliana en esta novela. Pascal y Unamuno son creyentes en la infancia y buscan en la adolescencia razones para su fe. Pascal experimenta así la primera conversión que es de tipo intelectual: la razón y la fe separadas. Pero Unamuno no logra ya desde entonces una

---

[1] "Unamuno y Pascal: Notas sobre el concepto de la agonía", en *Intelectuales y Espirituales,* Madrid, Revista de Occidente, 1961, págs. 41-64. Véase también, S. Serrano Poncela, *Op. cit.,* págs. 84-86; y asimismo Unamuno, "La fe pascaliana", *Ensayos,* I, págs. 1003-13.

Para las ideas de Pascal he seguido sus *Pensées.*

Para la crítica sobre Pascal, Pierre L. Boutroux, *Blaise Pascal,* París, Hachette, 1908; E. Baudin, *La Philosophie de Pascal,* Neuchatel, Editions de la Baconnière, 1946-47; G. M. Patrick, *Pascal and Kierkegaard;* Morris Bishop, *Pascal. The Life of Genius,* New York, Reynal and Hitchcock, 1936.

fórmula armónica, pues la razón le destruye la fe y ahí comienza su Calvario. Pascal llega también más tarde a una situación similar de desesperación, cuando se decepciona de los placeres del mundo y se inicia en los estudios de la filosofía. La conclusión a que llega y que constituye su segunda conversión, ésta de tipo sentimental, es que está siendo atacado por la gracia divina, que es la llamada de Dios la que provoca su estado de ánimo angustioso porque él, Pascal, ha deseado a Dios al rechazar al mundo. Unamuno, al perder la fe de la infancia por causa de la razón, desea con el sentimiento a Dios y tal deseo podemos decir ambién que es la llamada de Dios.

Pascal comienza ahora a plantearse los problemas que antes se había planteado Unamuno. Quiere demostrar la existencia de Dios racionalmente partiendo de su necesidad sentimental. Esto le lleva a aplicar el cálculo de probabilidades y la fórmula de la apuesta; la razón, dirá, es incapaz de afirmar o de negar a Dios, pero hay que apostar y, llegando luego a la conclusión de que ni la razón ni la voluntad bastan para creer, descubre la existencia del "corazón" —al que también llama naturaleza e instinto—, facultad íntima y profunda a la que hay que convencer. Unamuno, por su parte, ha querido que la razón pruebe a Dios, pero concluye que la razón no sólo no puede decidir nada en este caso, sino que de hecho niega la inmortalidad personal; y así, al determinar el alcance de la razón, descubre la existencia del sentimiento —al que llama a veces "corazón" y "cardíaca"—, pero al que no es preciso convencer, pues es el que afirma el deseo de Dios y la inmortalidad. Más bien es el sentimiento el que tiene que convencer a la mente, con lo que la postura de Unamuno es inversa a la de Pascal. Ambos coinciden en localizar la llamada divina en una facultad no racional mientras esperan la llegada de la gracia, Pascal haciendo que su corazón crea, Unamuno que crea su razón. Pascal descubrirá al fin que se puede convencer al corazón por la "costumbre", mediante el "entontecimiento" momentáneo de la razón —es el famoso *il faut s'abetir*—; Unamuno se afincará en la lucha sentimiento-razón como realidad trágica e ineludible, aunque valiéndose, no obstante, de la costumbre y la conducta.

Pascal tiene una "iluminación" de tipo místico que le revela al verdadero Dios, no el Dios de la filosofía, sino el Dios vivo: Cristo. En cambio la experiencia mística de Unamuno es de signo contrario: le revela la presencia de la Nada. Ve también en el Dios vivo, Cristo-Padre, el verdadero, pero su fe es sentida y no ha sido agraciada con la iluminación divina. La necesidad de creer no encuentra su objeto en Unamuno, lo tiene que crear, y por lo tanto la fe que persigue no se realiza. Cristo creó en el hombre la vía sobrenatural; vivir en Cristo es participar de sus sufrimientos y Unamuno agoniza sin conseguir la fe, ¿Ha recibido la gracia; una gracia de la que no es consciente, pero que se revela en su conducta? ¿Cree sin creer creer?

II. LA FORMULA PASCALIANA

DON Manuel se nos aparece desde un principio falto de fe en la otra vida, fe en que Cristo, garantía de nuestra resurrección según San Pablo, haya resucitado y sea de ese modo el Dios garantizador de la inmortalidad. En este sentido es como si el párroco se inclinara hacia el lado negativo del cálculo de probabilidades pascaliano y, no sólo no apostase por una verdad probable, sino que diera por sentada su improbabilidad. Pero la postura de Don Manuel es también aquí dual, a la par de la negación camina del brazo una conducta probabilista, de apuesta en pro de la vida eterna.

La incredulidad del párroco nos hace suponer que debió haber sufrido una experiencia mística de signo contrario semejante a la de Unamuno. Don Manuel ha llegado al desánimo, ha perdido la confianza en lograr la gracia divina —Dios le es ateo—; o más bien, se ha convencido de que por sí solo no podrá conseguirla y por ello tendrá que valerse del pueblo —si no espera la fe caritativa de Dios en la tierra, confía al menos en su justicia después de la muerte—. Si Pascal no creía posible forzar con sus actos la intervención de Dios, el párroco, en cambio, no acepta su suerte y quiere obligar al Supremo Hacedor a computar y sopesar sus obras, su esfuerzo y su angustia.

La conducta de Don Manuel envuelve un propósito doble: por un lado le preocupa su destino individual y por otro el del pueblo. El mandamiento "Ama a tu prójimo como a ti mismo", le obliga a partir de sí, pues el "ti mismo" precede al "prójimo". Por su propio bien y para salvar la probabilidad de la otra vida, el párroco huye de la tentación del suicidio, valiéndose para ello de un aspecto de la fórmula pascaliana: el entontecimiento. Ahora bien, este método no persigue en Don Manuel el mismo fin que en Pascal, quien creía poseer la verdad racionalmente y buscaba convencer al corazón mediante la costumbre. En el caso del párroco no se trata de convencer sino de sobrevivir; y si Pascal quiere entontecer a la razón la intención es con un propósito momentáneo, que dura mientras dure el proceso de transformar la costumbre; Don Manuel se quiere entontecer permanentemente para no escuchar a la razón y para no sentir la agonía íntima que él sabe insoluble.

Con miras al pueblo la conducta del párroco presenta las siguientes características: obrar como si creyera para no despertarles y darles ejemplo de vida; preservar su costumbre y tradición corroborando la fe en que se formaron porque es una fe vital y produce obras; entontecer al pueblo "para que no cree dudas de lujo", mediante el contento de vivir y el rezo continuo —darles opio—; inmortalizarse en ellos haciéndose insustituible y dejando la impronta de la propia personalidad.

Pero, preguntémonos ahora, ¿no se aplica Don Manuel a sí mismo el "actuar como si creyera" pascaliano? Recuérdense las palabras del párroco que ya conocemos: "decimos las cosas a los demás, pero nos las decimos a nosotros mismos para convencernos". En este sentido se puede afirmar que el párroco no ha perdido por completo la esperanza de la otra vida y "obra para creer", como dice Sánchez Barbudo [2], pero añadiendo nosotros que también "obra para crear", para que se realice su personalidad ante el pueblo y ante Dios. Podemos concluir entonces que el párroco aplica en conjunto las tres condiciones fijadas por Pascal: es preciso apostar; hay que destruir los hábitos de las pasiones —el suicidio en este caso y el egoísmo—; hay que practicar los hábitos de la fe —el dogma, la liturgia, el rezo y la tradición religiosa del pueblo—; es decir, mecanizarse por el autómata para llegar a creer con la fuerza y la necesidad del instinto, y tal es la intención del chapuzarse en pueblo.

Ahora bien, esto quiere decir que, si el aspecto de la fórmula pascalina "obra como si creyeras y acabarás creyendo" ha sido adoptado por Don Manuel, también ha sido puesto a prueba y, como veremos, los resultados van a ser negativos para los dos líderes. Aprovechando el momento solemne de la muerte de la madre de Lázaro, Don Manuel pone en práctica dicha fórmula: "Dile que rezarás por ella, a quien debes la vida, y sé que una vez que

---

[2] *Op. cit.*, pág. 167.

se lo prometas rezarás y sé que luego que reces..." El párroco, naturalmente, apela aquí a la integridad de Lázaro, pero los puntos suspensivos con que concluyen las palabras son ya manifestación clara del escepticismo que las acompaña. "¿Y usted celebrando misa ha acabado por creer?", le replicará luego Lázaro; para concluir: "Y así es cómo le arranqué su secreto". Ni el maestro ni el discípulo acaban creyendo y la fórmula pascaliana de arriba fracasa en su caso. Esta es otra de las lecciones que encierra la novela [3].

---

[3] Aquí Unamuno proyectó sin duda lo autobiográfico, pues en el *Epistolario a Clarín,* pág. 89, narra la experiencia personal de la pérdida de la fe de su infancia que demuestra que la fórmula pascaliana no le surtió efecto a él.

TEORIA DE LA VERDAD

I. LA VERDAD PRAGMATICA

LA presencia de una faceta pragmatista en esta novela ha sido ya notada por la crítica [1], pero como estimamos que el pragmatismo es algo inherente al pensamiento de Unamuno, que brota en él espontáneamente e independiente de toda posible influencia [2], conviene que nos remontemos a sus orígenes. En el ensayo titulado *La ideocracia,* que data de 1900, se condensan ya los rasgos fundamentales de la verdad pragmática unamuniana:

> ¿Ideas verdaderas y falsas, decís? Todo lo que eleva e intensifica la vida refléjase en ideas verdaderas, que lo son en cuanto lo reflejan, y en ideas falsas todo lo que la deprima y amengüe. Mientras corra una peseta y haga oficio, comprándose y ven-

---

[1] Cf. el artículo de Samuel Putnam, "Unamuno y el problema de la personalidad", en *Revista Hispánica Moderna,* tomo I, 1-34-15, págs. 103-110; asimismo Sánchez Barbudo, *Op. cit.,* págs. 167-68.

[2] Cf. mi libro sobre Unamuno y William James.

> diéndose con ella, verdadera es, mas desde que ya no pase, será falsa.
>
> ¿Verdad? ¿Verdad, decís? La verdad es algo más íntimo que la concordancia lógica de dos conceptos, algo más entrañable que la ecuación del intelecto con la cosa... es el íntimo consorcio de mi espíritu con el Espíritu universal. Todo lo demás es razón, y *vivir verdad* es más hondo que tener razón. Idea que se realiza es verdadera, y sólo lo es en cuanto se realiza; la realización, que la hace vivir, le da verdad; la que fracasa en la realización teórica o práctica es falsa, porque hay también una realidad teórica. Verdad es aquello que intimas y haces tuyo; sólo la idea que vives te es verdadera...

De esta cita en extenso se pueden entresacar los siguientes aspectos:

1) Se trata de la verdad moral, para Unamuno más íntima que la verdad lógica [3];

2) es una verdad útil por sus consecuencias prácticas para la vida del individuo concreto: "...todo lo que eleva e intensifica la vida..."

---

[3] Dice Unamuno en otro lugar: "Me preguntó: '¿Cómo hallar la verdad?' Y le contesté: '¡Diciéndola siempre!' Y volvió a preguntarme: 'Pero ¿la verdad de fuera, la verdad objetiva, la verdad lógica, lo que es verdad?' Y le contesté: '¡Diciendo siempre y en cada caso, oportuna o inoportunamente, la verdad de dentro, la verdad subjetiva, la verdad moral, lo que crees ser verdad!", *Ensayos,* I, pág. 807.

3) la realización es lo que la hace verdadera: "Idea que se realiza es verdadera, y sólo lo es en cuanto se realiza";

4) la verdad no es un *factum* sino un *faciendum*. Con la acción se pone en práctica y con la conducta se pone a prueba: "Mientras corra una peseta y haga oficio, comprándose y vendiéndose con ella, verdadera es..."

5) la verdad ha de ser vital para el individuo, en estos dos sentidos: primero, ha de ser asimilada y vivida por el sujeto; segundo, ha de moverle a obrar: "Verdad es aquello que intimas y haces tuyo; sólo la idea que vives te es verdadera".

Todos estos aspectos se encuentran en *San Manuel Bueno, mártir*. Lo que el párroco llama "su verdad", que engendra en una conciencia de duda agónica, va a constituir para él su verdad vital, la que le mueve a obrar y a adoptar una conducta que la ponga a prueba y la realice. Don Manuel hace cuanto está de su mano para estampar el sello de su personalidad en el pueblo, para que éste le salve metiendo "su cuerpo sin vida en la tierra de promisión". Y con la misma conducta, por lo que tiene de intento y de empeño, espera inclinar la balanza divina a su favor cuando le llegue la hora del supremo juicio. Y tales son la utilidad y las consecuencias prácticas de su verdad que, en la dimensión terrena de convivencia con el pueblo, se realizan, pues no sólo se gana el corazón de sus feligreses, sino que le tienen por santo y por tal le veneran a su muerte.

En su vivir cotidiano el pueblo se guía por la conducta y la predicación del párroco, mientras alaba su santidad. Todo esto que se verifica, que se realiza a las mil maravillas crea la verdad, confirma por completo una de las dos facetas de la verdad íntima de Don Manuel, la que "busca, al ir a morirse, fundir —o sea, salvar— su personalidad en la del pueblo". En cambio también es cierto que no resuelve la incógnita de la otra faceta, la de la vida eterna, aunque hace méritos con ese fin; lo cual nos hace comprender que no tendrá respuesta hasta cruzar los umbrales de la muerte, y que su destino en la vida terrena será el de dar "un consuelo a los demás que no es el suyo", de ahí que su alma "esté triste hasta la muerte". La única complacencia que Don Manuel recibe, el gran estímulo y la gran esperanza que le viene de fuera, es el de ver que su conducta se justifica y realiza en Lázaro, que se convierte en su discípulo, en la comprensión y el perdón de Angela, y en el culto que le rinde su pueblo.

II. LA RELATIVIDAD DE LA VERDAD

APARTE de los aspectos pragmáticos, la postura de Unamuno en esta novela con respecto a la verdad nos lleva a hacer varias deducciones. La verdad íntima del párroco carece de manifestación externa en lo tocante al conocimiento de los feligreses, no es voz pública, sino que es un secreto velado con el mayor celo por Don Manuel, si exceptuamos el caso especialísimo de Lázaro y el posterior de Angela.

De aquí podemos hacer la primera deducción, y es que una verdad para serlo no es menester que tenga manifestación externa; es decir, que contra lo que haría suponer el pragmatismo de Unamuno, la verdad no se agota ni se la puede juzgar por entero por las consecuencias prácticas de la conducta, pues éstas forman solamente una parte de la verdad total íntima. Los móviles que el pueblo atribuye al obrar del párroco no reflejan con exactitud la verdad, pues ignoran el secreto.

En segundo lugar, la lógica por la que se guía el pueblo es la de la experiencia directa, la costumbre y la conducta de los demás, por lo que la verdad que hace vivir al y que éste intima y hace suya no es la verdad lógica, sino la verdad moral. El pueblo tiene por creyente a Don Manuel porque está acostumbrado a que los que obran como él lo sean, y es más, a que tal modo extraordinario de obrar sea propio de santos, según atestigua la tradición. Al pueblo, dice Unamuno al final, "no le interesa más lógica que la vital", que es precisamente la que les brinda el párroco con su conducta. Además, cabe también que "si les hubiera revelado la verdad no le hubieran creído", y esto por las razones antedichas.

Un tercer aspecto es que en esta novela la verdad se hace circunstancial y casuística. La verdad que el párroco le confiesa a Lázaro no es la que finge con su pueblo. Por otra parte, lo que es verdad vital para éste no satisface por entero los anhelos de Don Manuel, mientras que la verdad íntima de éste sería mortal para el pueblo. Las declaraciones de incredulidad que el párroco le hace a Angela, no reflejan su estado de duda íntimo ni corresponden a su conducta manifiestamente de signo contrario. Es elocuente en este sentido que la novela concluya con el "qué es verdad y qué mentira" de Segismundo.

Finalmente, se deduce también que el párroco pone en tela de juicio su propia verdad, salvando de ese modo la posibilidad de que exista otra trascendental. Haciendo alarde de inteligencia y caritativa humanidad, Don Manuel no revela "su verdad" por temor a minar la del prójimo, librando de esa manera a sus feligreses del drama que a él le corroe; drama que no se basa en la certidumbre sino en la duda. Prefiere, pues, dejar las cosas como están, ya que, como dejó dicho Unamuno en otro lugar: "lo que Dios ha escrito es nuestro propio milagro, el milagro de cada uno de nosotros".

INDICE

Págs.

Págs.

ACABOSE
DE IMPRIMIR
ESTE LIBRO TITULADO
EL PROBLEMA DE LA PERSONALIDAD
EN UNAMUNO Y EN SAN MANUEL BUENO
EN LOS TALLERES TIPOGRAFICOS
DE GRAFICESA, (SALAMANCA)
EL 17 DE JUNIO
MCMLXVI